KB104635

사회복지 인문학 · 맹자

사회복지 인문학 · 맹자

발 행 | 2024년 6월 25일
저 자 | 김준희
펴낸이 | 한건희
디자인 | 권영민
펴낸곳 | 주식회사 부크크
출판사등록 | 2014.07.15.(제2014-16호)
주 소 | 서울특별시 금천구 가산디지털1로 119 SK트윈타워 A동 305호
전 화 | 1670-8316
이메일 | info@bookk.co.kr

ISBN | 979-11-410-9101-9

www.bookk.co.kr

사회복지 인문학

맹자

서 문

왜 '사회복지학'과 《맹자》인가?

우리 사회는 급격한 변화와 복잡한 문제들로 가득 차 있으며, 개인의 삶이 개인과 사회의 책임으로 회자되며 전국민 보편복지의 시대가 되었습니다. 사회복지는 개인삶의 만족도를 높이고, 사회적 약자를 보호하며, 모든 이들이 행복한 삶을 영위하도록 돕는 중요한 역할을 합니다. 인문학은 인간의 본질과 가치, 사회가 요구하는 도덕의 기준을 마련하여 인간다운 삶을 영위하도록 합니다. 저는 인문학과 사회복지라는 두 학문을 공부하며 인문학적 통찰이 사회복지의 기본이 되어야 함을 알았습니다.

인간을 선한 존재로 보았던 맹자(孟子)의 철학은 오늘날 사회복지가 나아가야 할 시사점을 제공합니다. 맹자는 인간의 본성이 본래 선하며, 도덕적 행위를 통해 인간다움을 실현할 수 있다고 보았습니다. 이러한 맹자의 사상은 21세기 사회복지 실천에 있어 중요한 이론적 토대가 될 수 있습니다. 다음 세 가지 측면에서 맹자의 사상을 현대 사회복지에 접목하는 필요성과 그 의미가 있다고 생각합니다.

첫째, 인간의 선한 본성에 대한 신뢰는 사회복지 실천의 기본 원칙이 될 수 있습니다. 맹자는 인간이 본래 선한 의지를 지니고 있다고 믿었으며, 이는 클라이언트의 잠재력을 신뢰하고 자율성을 존중하는 사회복지 실천에 중요한 시사점을 제공합니다. 클라이언트가 어려운 상황 속에서도 변화하고 성장할 수 있다는 믿음은 사회복지사가 그들과의 신뢰 관계를 구축하고, 자기효능감을 높이는 데 큰 역할을 할 것입니다.

둘째, 인(仁)과 의(義)의 실천은 사회복지사의 역할을 정의하는 데 있어 중요한 덕목입니다. 맹자는 인과 의를 강조하며, 이는 공감과 정의를 중심으로 하는 사회복지 접근법으로 구체화될 수 있습니다. 클라이언트의 정서적 요구를 민감하게 이해하고 지원하며, 그들의 권리를 보호하고 공정한 서비스를 제공하는 것은 사회복지사의 기본적인 책무입니다. 이러한 접근은 클라이언트에게 따뜻한 인간애를 느끼게 하고, 공정한 사회를 만들기 위한 사회복지사의 역할을 강화합니다.

셋째, 공동체와 상생의 중요성은 현대 사회복지 실천에서 필수적인 요소입니다. 맹자는 개인의 행복이 공동체의 번영과 분리될 수 없다고 보았습니다. 이는 사회복지사가 클라이언트의 문제를 해결할 때, 그들이 속한 공동체와의 관계를 강화하고 상호 협력과 지원을 통해 공동체 전체의 복지를 증진시키는 데 주력해야 함을 의미합니다. 클라이언트는 사회적 고립에서 벗어나 더 큰 사회적 네트워크 속에서 상호 지원을 받을 수 있으며, 이는 궁극적으로 개인과 공동체의 지속 가능한 발전을 촉진합니다.

맹자의 사상은 인간 본성의 선함을 믿고, 공감과 정의를 실천하며, 공동체와의 상생을 중시하는 접근법을 통해 현대 사회복지 실천에 깊은 통찰과 방향성을 제공합니다. 인문학과 사회복지를 함께 전공한 전문가로서, 저는 이러한 통합적 접근이 인간적이고 포용적인 사회를 만드는 데 기여할 것이라 확신합니다. 이 책을 통해 맹자의 사상이 현대 사회복지 실천현장에 선한 영향력이 되길 소망합니다.

2024년 6월 24일

김준희

CONTENT

1. 더불어 살아라

"맹자가 양혜왕을 만났을 때, 왕이 연못가에 있었는데, 큰 기러기와 큰 사슴을 돌아보고 말했다. "현자도 또한 이것을 즐거워합니까?" 맹자가 대답했다. "현자인 뒤에야 이것을 즐거워 할 수 있으니, 어질지 못한 자는 비록 이것을 가지고 있더라도 즐거워하지 못합니다."
문왕이 백성의 힘을 이용하여 누각을 만들고 연못을 만들었으니, 백성들이 그것을 기뻐하고 즐거워하여 그 대를 이르기를 신령스러운 누각이라 하고, 그 연못을 일러 신령스러운 연못이라 하여, 문왕이 암수 사슴과 물고기와 자라를 소유함을 즐거워하였으니, 옛 사람들은 백성과 더불어 함께 즐겼습니다. 이 때문에 능히 즐길 수 있었던 것입니다."《맹자, 양혜왕 상편》

맹자와 양혜왕의 대화에서 현자는 이야기의 주인공인 양혜왕이 눈앞의 아름다운 풍경을 즐길 수 없는 이유를 설명한다. 현자는 "현자인 뒤에야 이것을 즐거워할 수 있으니"라고 말했다. 사회복지사는 클라이언트의 입장에서 문제를 바라보며 그들의 감정과 어려움을 통찰하고 이해해야 한다. 현장에서 일하는 사회복지사는 객관성과 공감을 결합하여 클라이언트들과의 소통을 강화해야 한다. 이를 통해 더 나은 지원을 제공한다.

문왕의 행동은 백성들의 힘을 모아 누각과 연못을 만들어 공동체의 즐거움을 창출했다. 이는 자원의 협력적인 활용을 강조하는 부분으로 해석될 수 있다. 사회복지사는 현장에서 다양한 자원과 협력 파트너십을 찾아 클라이언트에게 최적의 서비스를 제공해야 한다. 문왕처럼 자원을 효과적으로 활용하면서도 공동체의 힘을 불러일으키는 태도가 필요하다.

맹자의 이야기에서 백성과 왕이 함께 신령스러운 누각과 연못을 즐긴 모습은 공동체 의식의 중요성을 강조한다. 사회복지사는 사회적 통합과 평등을 촉진하며, 다양한 계층 간의 관계를 존중해야 한다. 이를 통해 공동체의 유대감을 증진시키고, 모든 구성원이 함께 즐길 수 있는 사회 환경을 조성해야 한다.

맹자와 양혜왕 이야기는 현자의 통찰과 공동체의 즐거움에 대한 깊은 교훈을 전한다. 사회복지사는 통찰과 이해, 자원 최적 활용과 협력, 평등과 공동체 의식 강화의 태도를 가지며 현장에서 봉사해야 한다. 이러한 태도를 통해 더 나은 사회를 위한 노력을 기울이며, 모두가 행복하게 함께할 수 있는 사회를 만들어가야 한다.

사회복지사 실천법

- 통찰과 이해를 기반한 상담과 지원 서비스
- 협력을 통한 프로그램 개발과 운영
- 공동체 의식 강화를 위한 교육과 활동 운영

맹자와 양혜왕 이야기는 현자의 지혜를 통해 공동체의 행복과 통합을 창조하는 데 중요성을 부여한다. 이에 사회복지사는 현장에서 이러한 교훈을 실천하여 봉사하는 데에 주안점을 두어야 한다. 맹자의 교훈을 기반으로 사회복지사가 현장에서 실천할 수 있는 세 가지 실천법을 제시한다.

맹자의 이야기에서 현자는 양혜왕이 아름다운 풍경을 즐길 수 없는 이유를 통찰력으로 설명한다. 사회복지사는 클라이언트와의 상담과 지원 서비스에서 현장의 다양한 상황을 통찰하고, 각 개인의 독특한 상황에 공감하며 접근해야 한다. 각 클라이언트의 실제 상황과 요구에 대한 이해를 바탕으로 맞춤형 지원을 제공하여 그들의 행복과 통합을 도모해야 한다.

문왕이 백성들의 힘을 모아 누각과 연못을 만들어 즐거움을 창출한 것처럼, 사회복지사는 현장에서 다양한 자원을 최적으로 활용하고 협력을 촉진해야 한다. 지역 사회 자원과 파트너십을 적극적으로 발굴하고, 이를 효과적으로 조화시켜 클라이언트에게 최상의 지원을 제공하는 프로그램을 개발하고 운영해야 한다. 이를 통해 공동체의 힘을 활용하여 행복하고 건강한 사회환경을 조성할 수 있다.

맹자의 이야기에서 백성과 왕이 함께 신령스러운 누각과 연못을 즐긴 모습은 공동체 의식의 중요성을 강조한다. 사회복지사는 다양한 계층 간의 관계를 존중하고, 공동체 의식을 강화하기 위해 교육과 활동을 촉진해야 한다. 예를 들어, 지역 커뮤니티에서 참여하는 다양한 활동을 조직하거나, 교육 프로그램을 통해 다양성과 평등에 대한 인식을 높일 수 있다. 이를 통해 모든 구성원이 함께 참여하고 즐길 수 있는 환경을 조성하여 공동체의 통합을 증진시킬 수 있다.

맹자와 양혜왕의 이야기는 현자의 교훈을 통해 공동체의 행복과 통합이 얼마나 중요한지를 보여준다. 사회복지사는 통찰과 이해, 자원 최적 활용과 협력, 평등과 공동체 의식 강화의 실천법을 통해 현장에서 더 나은 세상을 위해 봉사하는 데에 기여한다. 이러한 실천법을 통해 사회복지사는 현대 사회의 다양한 변화에 적응하고, 모두가 행복한 공동체를 만들어 가야 한다.

2. 공정하게 배분하라

"맹자가 말하기를 "임금의 푸줏간에는 쌀 찐 고기가 매달려 있으며 마굿간에는 살찐 망이 메어있는데 도민(道民:도시에 있는 백성들)은 굶주린 기색이 있으며 야민(野民: 농촌의 백성들)은 굶어서 죽은 시신이 널브러져 있다면 이것은 짐승을 몰아서 사람을 먹게 하는 것입니다." 《맹자, 양혜왕 상편》

맹자는 푸줏간에는 살진 고기가 있고, 마구간에는 살찐 말들이 있으면서도 백성들은 굶주린 기색이 있다고 말하였다. 이는 사회에서 자원이 불균형하게 분배되고 있음을 보여준다. 사회복지사는 이러한 불평등을 해소하고, 모든 사람이 균등하게 자원에 접근할 수 있도록 노력해야 한다. 이를 통해 경제적 평등을 실현하고, 굶주림과 같은 심각한 사회문제를 해결할 수 있다.

맹자는 백성들로 하여금 굶주려 죽게 한 것은 짐승을 몰아서 사람을 잡아먹게 한 것과 같다고 비유하였다. 이는 인간의 존엄성을 경시하고, 사회적 정의를 훼손하는 행위를 비판한 것이다. 사회복지사는 개인의 존엄성을 존중하고, 사회적으로 공정한 조건을 조성하여 모든 사람들이 안전하고 존경받는 환경에서 살아갈 수 있도록 지원해야 한다.

맹자의 이야기는 사회적 책임과 봉사 정신의 중요성을 강조한다. 백성들의 굶주림과 사회적 불평등은 모두 사회 구성원 간의 상호 책임과 배려 부족에서 비롯된 문제이다. 사회복지사는 이러한 문제에 대한 인식을 높이고, 사회적 책임을 다하는 데 힘써야 한다. 봉사정신을 실천하여 취약계층을 지원하고, 사회적 불평등을 해소하기 위해 노력해야 한다. 또한, 지속적인 교육과 캠페인을 통해 사회 구성원들이 상호 책임과 배려의 중요성을 인식하도록 해야 한다.

사회복지사는 현장에서 다양한 문제를 직면하고 이를 해결하기 위해 끊임없이 노력해야 한다. 자원의 불균형 분배 문제를 해결하기 위해 적극적으로 자원을 배분하고, 사회적 약자들이 필요한 지원을 받을 수 있도록 해야 한다. 또한, 사회적 정의와 공정을 실현하기 위해 불합리한 제도와 관행을 개선하고, 모든 사람들이 공평한 기회를 가져야 한다.

사회복지사 실천법

- 사회적 자원의 공정한 분배와 보급
- 사회적 취약계층 지원과 보호
- 사회적 안전망의 강화와 위기 대응 능력 강화

맹자의 이야기는 사회에서 자원이 불균형하게 분배되고 있는 현실을 보여준다. 사회복지 부문에서의 공적 재정투입은 이러한 자원의 불균형을 해소하고, 모든 사람들이 필요로 하는 자원에 접근할 수 있도록 보장하는 데 중요한 역할을 한다. 예를 들어, 굶주린 백성들을 지원하기 위해 식량 지원 프로그램을 시행하거나, 교육, 의료 등의 사회서비스를 보급하여 모든 사람들이 균등하게 혜택을 누릴 수 있도록 하는 데 투자할 수 있다.

맹자의 이야기는 굶주린 백성들과 굶어 죽은 시체가 있다는 현실을 보여준다. 공적 재정투입은 이러한 사회적 취약 계층을 향한 지원과 보호에 중점을 둘 수 있다. 예를 들어, 식량 지원 프로그램, 주거 보조 프로그램, 의료보험 제공 등을 통해 취약 계층을 지원하고, 그들의 기초적인 생활 안정을 도모할 수 있다.

맹자의 이야기는 사회에서 발생하는 위기 상황에 대한 대비 부족을 지적한다. 공적 재정투입은 사회적 안전망의 강화와 위기 대응 능력 강화를 위한 기반을 마련하는 데 사용될 수 있다. 이를 위해 비상 시 대응을 위한 재정 예산을 마련하거나, 위기 상황에 대비한 대응 계획을 수립하여 사회적 불안정 요소에 대한 대응력을 높인다.

이러한 관점에서 맹자의 이야기는 사회적 불평등과 위기 상황에 대한 사회적 대응의 중요성을 강조하며, 공적 재정투입이 이를 실현하는 데 어떻게 기여할 수 있는지를 보여준다.

3. 좋은 삶을 지향하라

맹자가 대답하였다. "땅이 사방 백리만 되어도 왕 노릇을 할 수 있습니다. 왕께서 만일 인정을 백성에게 베풀어 형벌을 줄이고 세금을 적게 거둔다면, 백성들이 깊이 밭 갈고 잘 김매고 장성한 사람들이 한가한 날에 효제와 충신을 닦아서 집에 들어가서는 부모와 형제를 섬기며 나가서는 어른과 윗사람을 섬길 것이니." 《맹자, 양혜왕 상편》

맹자가 말한 왕의 역할은 단순히 통치와 권력을 의미하는 것이 아니다. 그는 인정과 배려를 통해 백성들에게 행복한 삶을 제공하는 것이 진정한 왕의 노릇이라고 말한다. 이러한 말은 사회적 책임과 배려가 행복한 삶을 이루는 데 중요한 역할을 한다는 것을 강조한다.

사회복지사의 관점에서 보면, 정서 안정은 행복한 삶을 이루는 데 필수적이다. 맹자의 이야기에서 나오는 효제와 충신을 닦고 집안에서 가족을 섬기며 외부에서 어른과 윗사람을 섬기는 행위는 모두 정서적 안정과 상호작용에 근거한 것이다. 이러한 상호작용을 통해 사람들은 서로에 대한 배려와 이해를 나누며 정서적으로 안정된 환경을 조성할 수 있다.

따라서, 사회복지사는 정서 안정을 위한 프로그램과 서비스를 제공하는 것이 중요하다. 가정 내 폭력 예방 프로그램, 정서적 지원과 상담 서비스, 정신건강 프로그램 등을 통해 개인과 가족의 정서적 안정을 증진시키고, 사회적 상호작용을 통해 사람들 간의 이해와 배려를 촉진할 수 있다. 이와 같은 프로그램들은 개인의 정신적 건강을 지키고, 가족 내에서의 화목을 증진시키며, 더 나아가 사회 전체의 정서적 안정을 도모할 수 있다.

맹자는 결국, 행복한 삶을 이루기 위해서는 정서적 안정이 중요하다는 것을 강조하고 있다. 이를 통해 사회복지사는 정서 안정을 위한 프로그램과 서비스를 제공하여 개인과 사회의 행복과 번영을 촉진할 수 있다. 사회복지사가 제공하는 정서적 지원은 개인의 삶의 질을 향상시키고, 더 나아가 사회의 통합과 평화를 이루는 데 기여할 수 있다. 이를 통해 모든 구성원이 더 나은 삶을 살아갈 수 있는 환경을 조성하는 것이 가능하다.

사회복지사 실천법

- 자기계발과 자아실현 프로그램 제공
- 가족 및 사회적 연대감 강화를 위한 지원
- 자립적이고 의미 있는 삶을 위한 지원 시스템 구축

클라이언트들에게 장성한 사람으로 성장하기 위한 기회를 제공해야 한다. 이를 위해 사회복지사는 다양한 자기계발과 자아실현 프로그램을 제공할 수 있다. 예를 들어, 직업훈련과 교육 프로그램, 성격 개발과 리더십 강화 프로그램, 심리상담과 자기성장 그룹 세션 등을 통해 클라이언트가 자신의 잠재력을 최대한 발휘하고 성장할 수 있도록 도와준다.

클라이언트들이 가정과 사회에서 서로를 섬기며 행복한 삶을 살 수 있도록 가족과 사회적 연대감을 강화하는 지원이 필요하다. 사회복지사는 가족 간 의사소통 강화 프로그램, 가족 간 충돌 해결과 조정 서비스, 사회참여과 봉사활동 지원 등을 통해 가족과 사회적 관계를 강화하고 클라이언트가 사회적으로 통합되고 지지받는 환경을 조성한다.

클라이언트가 자립적이고 의미 있는 삶을 살 수 있도록 사회복지사는 지원 시스템을 구축해야 한다. 이를 위해 취업 지원 프로그램, 주거 지원 서비스, 재정적 지원과 보호 서비스 등을 제공하여 클라이언트가 자립적으로 삶을 이어나갈 수 있도록 지원한다. 또한, 클라이언트의 개별적인 욕구를 고려하여 맞춤형 서비스를 제공하고, 그들의 삶에 의미를 부여할 수 있는 기회를 제공한다.

이러한 실천법을 통해 사회복지사는 클라이언트들이 행복하고 만족스러운 삶을 살 수 있도록 돕는다. 이는 맹자가 말한 "효제와 충신을 닦아서 집에 들어가서는 부모와 형제를 섬기며 나가서는 어른과 윗사람을 섬길 것"이라는 이상적인 상황을 실현하는 데 일조한다.

4. 함께 성장하라

지금 왕이 이곳에서 음악을 타시면, 백성들이 왕의 종소리, 북소리와 피리 소리를 듣고는 모두 흔쾌하게 기뻐하는 기색이 있으면서 서로 말하기를 "우리 왕께서 행여 질병이 없으신가, 어떻게 음악을 타시는가?" 하며 (…) 백성과 더불어 함께 즐거워하시기 때문입니다. 지금 왕께서 백성과 더불어 함께 즐거워하신다면, 왕 노릇 하실 것입니다.《맹자, 양혜왕 하편》

맹자의 이야기에서 왕이 백성들과 함께 음악을 즐기는 모습은 어진 정치의 한 예시이다. 왕이 백성들의 기쁨과 즐거움을 함께하는 것은 백성들과의 상호작용과 연대감을 증진시키는 것이다. 왕은 백성들의 삶과 행복을 최우선으로 여기며, 그들과 함께 즐기는 것을 통해 백성들과의 교감을 강화한다. 이는 어진 정치의 본질 중 하나로, 권력을 가진 자가 백성들과 함께하는 것을 강조한다.

반면에 사회복지사의 '동반성장'은 클라이언트와 사회복지사가 함께 성장하는 것을 의미한다. 사회복지사는 클라이언트의 삶의 질과 복지를 향상시키기 위해 협력하고 지원한다. '동반성장'은 사회복지사와 클라이언트가 함께 문제를 해결하고 성장하기 위해 노력하는 것을 강조한다.

이는 클라이언트의 자립성과 사회적 참여를 촉진하고, 그들이 보다 풍요로운 삶을 살도록 돕는 것을 목표로 한다.

왕의 어진 정치와 사회복지사의 '동반성장'은 서로 다른 맥락에서 발생하지만, 공통점이 있다. 둘 다 권력을 가진 자 또는 전문가가 다른 사람들과 함께 성장하고 번영하기 위해 행동하는 것을 강조한다. 왕이 백성들과 함께 음악을 즐기는 것은 백성들과 연대감을 증진시키고, 사회복지사가 클라이언트와 함께 성장하는 것은 서로의 지원과 협력을 통해 더 나은 삶을 실현하는 것이다.

두 개념은 공동체의 번영과 발전을 위해 상호작용하고 있다. 왕은 백성들과의 교류를 통해 그들의 마음을 이해하고, 그들의 필요를 충족시키려 노력한다. 이는 백성들이 왕에게 신뢰와 존경을 가지게 하고, 궁극적으로는 국가의 안정을 가져오는 역할을 한다. 사회복지사 역시 클라이언트와의 협력을 통해 그들의 삶을 개선하고, 사회적 통합을 이루는 데 기여한다. 클라이언트가 자립할 수 있도록 돕고, 그들이 사회에 기여하는 기회를 제공함으로써, 사회 전체의 건강과 번영에 이바지한다.

따라서, 왕의 어진 정치와 사회복지사의 동반성장은 모두 공동체의 번영과 발전을 위한 중요한 원칙이다. 권력을 가진 자가 백성들과 함께 성장하고, 사회복지사가 클라이언트와 함께 문제를 해결해 나가는 과정은 서로에게 긍정적인 영향을 미친다. 이러한 상호작용을 통해, 모두가 더 나은 삶을 누릴 수 있는 사회를 만들어 가는 것이 가능해진다.

사회복지사 실천법

- 정서적 지원과 자기존중감 증진
- 사회적 연대와 공동체 참여 강화
- 문화적 지원과 다양한 활동 제공

사회복지사는 백성들이 왕과 함께 음악을 즐기는 모습에서 얻는 기쁨과 즐거움을 인정하고, 그들의 정서적 안정을 지원해야 한다. 이를 위해 사회복지사는 클라이언트들에게 정서적 지원을 제공하고, 자기존중감을 증진시키는 프로그램을 실시할 수 있다. 정서적 안정을 위한 상담 서비스, 감정 조절 기술 훈련, 자기존중감 증진을 위한 그룹 세션 등을 통해 클라이언트들이 자신을 인정하고 사랑받는다는 느낌을 얻을 수 있도록 돕는다.

백성들이 왕과 함께 즐거워하는 모습은 사회적 연대와 공동체 의식을 촉진하는 좋은 사례이다. 사회복지사는 이러한 연대와 의식을 더욱 강화하기 위해 사회적 참여를 촉진하는 활동을 진행할 수 있다. 지역사회 내에서 공동체 이벤트나 자원봉사 프로그램을 조직하고, 백성들의 자발적인 참여를 유도하여 사회적 연대를 강화한다.

왕과 백성들이 함께 음악을 즐기는 것은 문화적인 활동을 통해 사람들이 서로 가까워지고 즐거움을 공유하는 예시이다. 사회복지사는 이러한 문화적 활동을 지원하고 다양한 활동을 제공하여 클라이언트들이 사회적으로 통합되고 행복한 삶을 살도록 돕는다. 음악 치료 프로그램, 문화 예술

이벤트, 창작활동 등을 통해 클라이언트들의 삶에 다양한 문화적 요소를 제공하고, 그들이 자신을 표현하고 소통하는 기회를 제공한다.

이렇게 사회복지사는 정서적 지원, 사회적 연대 강화, 문화적 지원 등을 통해 클라이언트들이 보다 행복하고 만족스러운 삶을 살 수 있도록 돕는다. 왕과 백성들이 함께 즐겁게 시간을 보내는 모습에서 나타나는 공동체 의식과 상호작용을 기반으로, 사회복지사는 클라이언트들에게 희망과 지지를 제공하여 그들이 사회적으로 통합되고 성장할 수 있는 환경을 조성한다.

5. 우선순위를 살펴라

"'늙었으면서 아내가 없는 것을 홀아비라 하고, 늙었으면서 남편이 없는 것을 과부라 하고, 늙었으면서 자식이 없는 것을 독거노인이라 하고, 어리면서 부모가 없는 것을 고아라 하니, 이 네 사람은 천하의 곤궁한 백성으로서 하소연할 곳이 없는 자들입니다. 문왕은 선정을 펴고 인을 베푸시되 반드시 이 네 사람을 먼저 하였습니다. 《시경》에 이르기를 '부자들은 괜찮거니와 이 곤궁한 이가 가엾다'고 하였습니다." 《맹자, 양혜왕 하편》

맹자의 이야기에서 나타나는 홀아비, 과부, 독거노인, 고아는 사회적으로 취약한 집단으로 간주된다. 이들은 자신의 상황으로 인해 곤란을 겪고 있으며, 하소연할 곳이 없는 상황이다. 사회복지사는 이러한 취약한 집단들을 보호하고 지원하여 사회적 정의와 평등을 확보해야 한다. 이를 위해 사회복지사는 취약한 이들에게 필요한 지원과 서비스를 제공하고, 그들의 권리와 자유를 보장하는 데 힘써야 한다.

사회복지사는 곤궁한 이들이 사회적으로 참여하고 자립할 수 있도록 돕는 것이 중요하다. 이를 위해 사회복지사는 지역사회 내에서 지원 체계를 구축하고, 취약한 집단들이 사회적인 네트워크에 참여하는 기회를 제공해야 한다. 또한, 사회복지사는 취약한 이들을 위한 프로그램과 서비스를 개발하고 운영하여 그들의 사회적 참여와 자립을 촉진해야 한다. 이를 통해 이들이 경제적으로 자립하고, 사회적 관계를 맺으며, 자신감을 회복할 수 있도록 도와야 한다.

사회복지사는 취약한 이들의 자유와 존엄성을 보호하고 증진해야 한다. 이들은 사회적으로 소외되고 형평성이 부족한 상황에서 살아가고 있으며, 그들의 권리와 존엄성을 보장하기 위해 사회복지사는 그들의 의견을 존중하고, 그들의 자유를 존중하고 보호해야 한다. 또한, 사회복지사는 이들에게 인간다운 생활을 살 수 있도록 필요한 지원을 제공하고, 그들의 존엄성을 회복시키는 데 힘써야 한다. 이는 단순한 물질적 지원을 넘어, 그들이 사회에서 의미 있는 역할을 할 수 있도록 정신적, 사회적 지원도 포함해야 한다.

사회복지사는 또한 이들의 목소리를 대변하는 역할을 해야 한다. 사회적으로 취약한 이들은 종종 자신의 권리를 주장하기 어려운 상황에 처해 있다. 따라서 사회복지사는 이들의 권리를 옹호하고, 정책 결정 과정에서 이들의 의견이 반영될 수 있도록 노력해야 한다. 이를 통해 사회적 불평등을 해소하고, 모든 사람들이 평등하게 대우받는 사회를 만들어야 한다.

사회복지사는 취약한 집단들을 위한 지속적인 지원과 보호를 통해, 그들이 자립할 수 있는 환경을 조성하고, 그들의 삶에 긍정적인 변화를 가져올 수 있도록 해야 한다. 이를 통해 사회 전체의 복지 수준을 높이고, 모두가 존엄성을 가지고 살아갈 수 있는 사회를 만들어야 한다.

사회복지사 실천법

- 우선적 지원 제공
- 개별화된 서비스 제공
- 사회적 네트워크 구축과 연계

사회복지사는 먼저 곤궁한 이들에게 우선 지원을 제공해야 한다. 이는 문왕이 선정을 펴서 반드시 이 네 사람을 먼저 인하여야 하는 것과 같은 원칙이다. 사회복지사는 홀아비, 과부, 독거노인, 고아 등과 같이 사회 약자에게 특별한 관심을 기울여야 하며, 그들이 필요로 하는 서비스와 지원을 우선으로 제공해야 한다. 이를 통해 이들이 기본적인 생활을 유지하고, 더 나아가 안정된 삶을 영위할 수 있도록 도와야 한다.

사회복지사는 각각의 사회 약자에게 개별화된 서비스를 제공하여 그들의 특별한 상황과 요구에 맞춰 도움을 줘야 한다. 홀아비, 과부, 독거노인, 고아 각각의 상황과 필요에 따라 적절한 서비스를 제공하여 그들의 생활을 개선하고 안정을 도모해야 한다. 이는 사회복지사가 개별적인 서비스 계획을 수립하여 그들의 상황을 종합적으로 파악하고 적절한 서비스를 제공하는 것을 포함한다. 이러한 개별화된 서비스는 각자의 특성과 요구를 반영하여 맞춤형 지원을 제공하는 것을 의미하며, 이를 통해 그들이 자립할 수 있는 기반을 마련해야 한다.

사회복지사는 사회 약자들에게 사회적 네트워크를 구축하고 필요한 지원 기관 및 자원과 연계하여 종합적인 지원을 제공해야 한다. 이는 홀아비,

과부, 독거노인, 고아 등과 같이 사회 약자들이 단독으로 문제를 해결하기 어려운 경우에 사회복지사가 지역사회 내에서 다양한 협력 기관과 연계하여 그들을 지원하는 것을 의미한다. 이러한 네트워크 구축과 연계는 그들의 사회적 참여와 자립을 촉진하고, 보다 포괄적이고 지속적인 지원을 제공하는 데 도움이 된다. 이를 통해 사회복지사는 사회약자가 필요한 모든 지원을 받을 수 있도록 체계적인 지원 시스템을 마련하고, 지속적인 관리와 지원을 통해 그들의 삶의 질을 향상시키는 역할을 해야 한다.

6. 현장에서 답을 구하라

"취해서 연나라 백성들이 기뻐하거든 취하소서 (…) 취해서 연나라 백성들이 기뻐하지 않거든 취하지 마소서." 《맹자, 양혜왕 하편》

사회복지사는 프로그램이나 정책을 결정할 때, 해당 사회구성원들의 의견을 수렴하고 공동의견을 형성해야 한다. 맹자의 말씀에서처럼 연나라 백성들이 기뻐할 때만 결정을 내리라는 것은, 서비스나 정책의 효과를 최대화하기 위해 수용적이고 참여적인 의사결정을 지향해야 함을 의미한다. 사회복지사는 대상자들과 소통하고 협력하여 그들의 요구와 욕구를 파악하고, 이를 반영하여 서비스를 제공함으로써 그들의 만족도를 높이고 사회복지서비스의 효과를 극대화할 수 있다.

맹자의 말씀은 백성들의 다양한 의견과 감정을 존중하고 수용해야 한다는 메시지를 담고 있다. 사회복지사는 다양한 사회적, 문화적 배경을 가진 사람들에게 서비스를 제공할 때, 이러한 다양성을 존중하고 포용하는 접근을 취해야 한다. 다양성과 포용성을 강조하는 프로그램과 서비스를 제공하여 모든 사회 구성원이 소외되지 않고 포용되며, 자신을 편안하게 표현하고 참여할 수 있는 환경을 조성한다.

맹자의 말씀은 백성들의 기쁨을 토대로 결정을 내리라는 것뿐만 아니라, 만약 그들이 기뻐하지 않는다면 결정을 내리지 말라는 경고도 담고 있다. 이는 사회복지사가 제공하는 서비스나 정책이 백성들의 실질적인 필요와 관심사에 부합하지 않을 경우, 그들의 의견을 듣고 이를 반영하여 서비스를 수정하고 개선해야 한다는 것을 의미한다. 사회복지사는 지속적인 평가와 피드백 수집을 통해 프로그램이나 정책의 효과를 측정하고, 이를 바탕으로 서비스를 개선하여 사회적 복지를 높일 수 있다.

사회복지사는 또한 이러한 의견 수렴 과정을 통해 대상자들과의 신뢰를 구축해야 한다. 대상자들이 자신들의 의견이 반영되고 존중받는다는 느낌을 받을 때, 서비스에 대한 만족도와 신뢰도가 높아지기 때문이다. 이는 장기적으로 더 나은 서비스 제공과 사회복지 정책의 성공적인 실행으로 이어질 수 있다. 대상자들의 의견을 적극적으로 수렴하고 이를 반영하는 것은 사회복지사의 중요한 역할 중 하나이다.

따라서, 사회복지사는 프로그램과 정책을 개발할 때 대상자들의 의견을 수렴하는 시스템을 마련해야 한다. 다양한 채널을 통해 의견을 수집하고, 이를 정책 결정 과정에 반영함으로써 대상자들의 실제 필요와 욕구를 충족시킬 수 있다. 또한, 사회복지사는 이러한 의견 수렴 과정을 정기적으로 실시하여 지속적으로 프로그램과 정책을 개선하고 발전시켜야 한다.

사회복지사 실천법

- 개별 인터뷰와 평가
- 그룹 토론과 커뮤니티 참여
- 평가와 피드백 체계 구축

맹자의 말씀은 사회복지사에게 현장에서 서비스를 제공하는 클라이언트의 의견을 존중하고 수렴해야 함을 강조한다. 이를 실천할 수 있는 구체적인 행동 지침은 다음과 같다:

첫째, 사회복지사는 클라이언트와의 개별 인터뷰를 통해 그들의 의견과 욕구를 직접 파악해야 한다. 각 클라이언트의 상황과 필요를 이해하기 위해 개별 평가하고, 그들의 이야기를 경청하여 어떤 서비스가 그들에게 가장 적합한지를 파악해야 한다. 이를 통해 클라이언트들의 다양한 의견을 수렴하고, 그들이 직면한 문제에 대한 심층적인 이해를 얻을 수 있다.

둘째, 클라이언트들 간의 그룹 토론이나 커뮤니티 참여를 통해 다양한 의견을 수렴한다. 사회복지사는 클라이언트들이 자유롭게 의견을 나눌 수 있는 공간을 제공하고, 그들의 생각과 경험을 존중하며 이를 반영하여 서비스를 제공해야 한다. 이를 통해 클라이언트들끼리 서로의 의견을 공유하고 지원을 받을 수 있는 네트워크를 형성할 수 있다.

셋째, 서비스를 제공하는 과정에서 클라이언트들의 평가와 피드백을 수시로 수렴하고 반영해야 한다. 이를 위해 사회복지사는 클라이언트들에게 만족도 조사나 피드백 서베이를 실시하여 그들의 의견을 수집하고, 이를 분석하여 서비스의 개선점을 파악해야 한다. 또한, 클라이언트들과의 정기적인 상담과 소통을 통해 계속해서 그들의 의견을 수렴하고, 이를 토대로 서비스를 개선해야 한다.

이와 같은 행동지침을 통해 사회복지사는 클라이언트들의 의견을 존중하고, 그들의 필요와 욕구에 맞는 맞춤형 서비스를 제공할 수 있다. 이는 클라이언트들의 만족도를 높이고, 사회복지서비스의 효과를 극대화하는 데 중요한 역할을 한다. 사회복지사는 클라이언트들의 목소리를 경청하고, 그들의 의견을 적극적으로 반영함으로써 보다 나은 사회복지 환경을 조성한다.

7. 주인으로 살게 하라

"길을 감은 누가 혹 시켜서이며 멈춤은 혹 저지해서이다. 그러나 가고 멈춤은 사람이 시킬 수 있는 것이 아니다."《맹자, 양혜왕 하편》

맹자의 말씀은 인간이 그들의 행동을 결정하는 것이 아니라, 외부 요인이나 우연이 그들의 길을 감거나 멈추게 할 수 있다는 것을 강조한 것이다. 이를 사회복지사의 관점으로 해석하면, 클라이언트의 자립을 돕기 위해 다음과 같은 실천법을 적용할 수 있다.

사회복지사는 클라이언트들이 자신의 삶에 관한 결정을 내릴 수 있도록 자원을 개발하고 지원해야 하는 것이다. 이는 정보, 교육, 상담 등을 통해 클라이언트들이 자신의 상황을 이해하고, 자신에게 가장 적합한 선택을 할 수 있도록 돕는 것을 의미하는 것이다. 클라이언트들이 자기결정권을 가질 수 있도록 돕고, 그들의 의사를 존중하는 것이 중요하다.

또한, 사회복지사는 클라이언트들이 자립적으로 문제를 해결할 수 있는 능력을 강화하기 위한 지원을 제공해야 하는 것이다. 이는 문제해결 능력을 강화하는 프로그램을 제공하거나, 자립적인 생활기술을 가르치는 교육과 훈련하는 것을 포함한다. 클라이언트들이 자신의 문제를 스스로 해결할 수 있는 능력을 키우고, 독립적으로 삶을 이어나갈 수 있도록 돕는 것이 중요하다.

더불어, 사회복지사는 클라이언트들이 자립적으로 삶을 이어나가도록 사회적 지원망을 확보하고 활용하는데 도움을 주어야 한다. 이는 지역사회의 자원과 네트워크를 활용하여 클라이언트들이 필요로 하는 지원을 받을 수 있도록 돕는 것을 의미한다. 클라이언트들이 자신의 문제를 해결하고 성공적으로 삶을 이어나갈 수 있도록 지속적인 사회적 지원을 제공하는 것이 중요하다.

이렇게 맹자의 구절을 해석한 실천법은 클라이언트의 자립을 돕기 위해 자기결정권 강화, 자립적인 문제해결 능력 강화, 사회적 지원망 확보와 활용과 같은 방법을 통해 클라이언트들이 자신의 삶을 스스로 통제하고, 성공적으로 발전할 수 있도록 돕는다. 이는 클라이언트가 자신의 삶에서 주도적인 역할을 할 수 있게 하고, 외부 요인에 의해 휘둘리지 않도록 하는 것이 궁극적인 목표이다.

이와 같이, 맹자의 말씀을 바탕으로 한 사회복지 실천법은 클라이언트의 자립과 성장에 중요한 역할을 한다. 사회복지사는 클라이언트의 자립을 돕기 위해 다양한 자원을 활용하고, 그들의 자기결정권을 강화하며, 자립적인 문제해결 능력을 길러주고, 사회적 지원망을 구축하고 활용하는데 지속적으로 노력해야 한다. 이러한 접근은 클라이언트가 자신의 삶을 주도적으로 이끌어갈 수 있도록 돕는 데 큰 기여한다.

사회복지사 실천법

- 능동적인 듣기
- 개방적인 질문
- 능력에 따른 지원과 자기효능감 강화

능동적인 듣기는 사회복지사가 클라이언트의 이야기를 경청하고 이해하는 데에 중점을 둔다. 이를 위해 사회복지사는 클라이언트의 이야기에 집중하고, 그들이 전달하고자 하는 메시지를 정확히 이해하려고 노력해야 한다. 클라이언트가 이야기할 때 그들의 감정과 욕구를 공감하고 인식하는 것이 중요하다. 이러한 능동적인 듣기를 통해 클라이언트는 자신의 의견과 감정을 자유롭게 표현할 수 있으며, 이를 통해 자기결정력을 강화할 수 있다.

개방적인 질문은 클라이언트에게 답변을 강요하지 않고, 자신의 생각이나 감정을 더욱 자세히 이야기하도록 유도하는 질문이다. 이를 통해 사회복지사는 클라이언트가 자신의 상황을 더 깊이 이해하고, 자신만의 해결책을 찾을 수 있도록 돕는다. 개방적인 질문을 통해 클라이언트는 자신의 상황에 대해 더욱 심층적으로 고민하고, 그들만의 해결 방안을 모색할 수 있으며, 이를 통해 자기결정력을 발전시킬 수 있다.

사회복지사는 클라이언트의 능력과 자기효능감을 존중하고 강화하기 위해 지원을 제공해야 한다. 이는 클라이언트가 자신의 의사결정에 대한 책임을 느끼고, 그에 따른 행동을 취할 수 있도록 돕는 것을 의미하는 것이다. 사회복지사는 클라이언트가 자기결정을 할 때 필요한 정보와 자원을 제공하고, 그들이 자신의 능력을 인식하고 신뢰할 수 있도록 도움을 주어야 한다. 이를 통해 클라이언트는 자신의 능력을 더욱 인식하고, 자신만의 결정을 내리는 자신감을 갖게 되며, 이는 자기결정력을 강화하는 데에 도움이 된다.

8. 오늘을 살라

"백성들이 학정의 시달림이 지금보다 더 심한 적이 있지 않았으니, 굶주린 자에게 밥이 되기가 쉽고, 목마른 자에게 음료가 되기는 쉬운 것이다. (…) 지금의 때를 당하여 만승의 나라가 인정을 행한다면, 백성들의 기뻐함이 거꾸로 매달린 것을 풀어준 것과 같은 것이다. 그러므로 일은 옛사람의 반만 하고 효과는 반드시 옛사람의 배가 되는 것은 오직 지금만이 그러할 것이다." 《맹자, 공손추 상편》

맹자의 말씀은 사회복지사가 정책 수립과 실행의 타이밍을 파악하고, 대안적인 정책을 모색하며 유연하게 대응하고, 평가와 개선을 통해 지속적인 개선을 이루는 것을 강조한다.

사회복지사는 정책을 수립하고 실행할 때 백성들의 상황과 요구를 정확히 파악하고, 그에 맞는 적절한 타이밍을 선택해야 한다. 이는 사회문제의 발생과 해결에 대한 시기적 측면을 고려하여 정책을 계획하고, 백성들이 실질적으로 필요로 하는 서비스를 제공하는 것을 의미한다. 예를 들어, 경제적 어려움이 심각한 시기에는 경제 지원 프로그램을 강화하고, 위기 상황에서는 긴급 지원을 제공하는 등의 타이밍적 조치를 취할 수 있다.

사회복지사는 다양한 상황에 대처하기 위해 대안적인 정책을 모색하고 유연하게 대응해야 한다. 즉, 일정한 상황에 고정된 정책이 아닌, 상황에 따라 적절한 대응을 할 수 있는 유연한 정책을 수립하고 실행해야 한다. 이는 사회복지사가 현장에서의 변화에 신속하게 대응하고, 백성들의 요구에 맞춰 서비스를 제공할 수 있도록 도와준다.

사회복지사는 정책의 실행 결과를 지속적으로 평가하고 개선해야 한다. 이를 통해 정책의 효과를 파악하고, 문제점을 개선하여 더 나은 서비스를 제공할 수 있다. 사회복지사는 백성들의 피드백을 수렴하고, 이를 바탕으로 정책을 조정하고 개선하는 과정을 통해 지속적으로 백성들의 복지를 향상시킬 수 있다.

따라서, 사회복지사는 정책을 수립할 때 정확한 타이밍을 고려하고, 다양한 대안을 모색하며, 유연하게 대응하는 것이 중요하다. 또한, 정책의 실행 결과를 지속적으로 평가하고 개선하여 더 나은 서비스를 제공하는 것이 필요하다. 이는 백성들의 복지를 향상시키기 위한 필수적인 과정이며, 사회복지사의 중요한 역할이다. 사회복지사는 이러한 과정을 통해 백성들이 필요로 하는 서비스를 적절히 제공하고, 그들의 삶의 질을 높일 수 있다.

이와 같이 맹자의 말씀을 바탕으로 한 사회복지 실천법은 백성들의 요구와 상황에 맞춰 유연하게 대응하고, 지속적인 평가와 개선을 통해 더 나은 복지 서비스를 제공하는 것을 목표로 한다. 이는 사회복지사가 정책을 수립하고 실행하는 데 있어 중요한 지침이 되며, 백성들의 복지를 실질적으로 향상시키는 데 큰 기여한다.

사회복지사 실천법

- 다양한 관점을 수렴하는 능력
- 상황에 따른 탄력적인 대응
- 창의적 문제해결능력 강화

사회복지사는 다양한 관점을 수렴하고 이해하는 능력을 기르는 것이 매우 중요하다. 즉, 단 한 가지 시각에만 의존하는 것이 아니라, 다양한 관점을 고려하여 상황을 다각도로 분석하고 최선의 대안을 모색해야 한다. 이를 위해 사회복지사는 다양한 이해관계자들과의 적극적인 소통을 통해 여러 가지 의견을 수렴하고, 이를 종합하여 유연하고 창의적인 대안을 찾아야 한다. 이러한 과정을 통해 사회복지사는 보다 포괄적이고 효과적인 해결책을 제시할 수 있다.

사회복지사는 변화하는 상황에 따라 탄력적으로 대응할 수 있는 능력을 갖춰야 한다. 즉, 급변하는 상황에 신속하게 적응하고, 새로운 상황에 맞는 대안을 신속하게 모색할 수 있어야 한다. 이를 위해 사회복지사는 유연성을 항상 유지하고, 상황에 맞는 적절한 대안을 즉각적으로 채택하며, 실패를 두려워하지 않고 적극적으로 대응해야 한다. 또한, 예기치 않은 상황에서도 침착하게 대처하며, 필요한 경우 빠르게 전략을 수정할 수 있는 능력을 길러야 한다.

사회복지사는 창의적인 문제해결능력을 반드시 갖추어야 한다. 즉, 기존의 틀에 얽매이지 않고 새로운 아이디어를 도출하고 혁신적인 해결책을 찾아내는 능력이 요구된다. 이를 위해 사회복지사는 문제해결에 대한 창의적 사고를 지속적으로 발전시키고, 실험적인 방법을 적용하여 새로운 대안을 발굴해야 한다. 이러한 창의적인 접근은 복잡하고 다변화된 현대 사회에서 사회복지사가 직면하는 다양한 문제들을 효과적으로 해결하는 데 큰 도움이 된다.

9. 자신감을 가져라

> 맹자가 말했다. "아니다. 나는 40세에 부동심(마음이 동요하지 않음)을 하였노라. (…) 의지는 기의 장수요, 기는 몸에 차 있는 것이니, 의지가 최고요 기가 그 다음이다. 그러므로 말하기를 '그 의지를 잘 잡고도 또 그기를 포악히 하지 말라'고 한 것이다." (…) 맹자가 말했다. "나는 말을 알며, 나는 호연지기를 잘 기르노라." 《맹자, 공손추 상편》

맹자가 "부동심을 하였노라"고 말하는 것처럼, 사회복지사는 개인이 마음이 흔들리지 않고 안정된 삶을 살도록 돕는 심리적 지원 프로그램을 제공해야 한다. 이는 심리상담, 정신건강 교육, 마음의 안정을 촉진하는 활동 등을 통해 개인의 내면적 강인함을 증진시키는 것을 의미한다. 사회복지사는 이러한 프로그램을 통해 개인이 심리적으로 안정되고, 스트레스와 불안을 효과적으로 관리할 수 있도록 도와야 하는 것이다. 이를 통해 개인은 일상생활에서 더 큰 안정감과 만족감을 느낄 수 있다.

맹자가 "의지는 기의 장수요"라고 말하는 것처럼, 사회복지사는 개인의 자기존중감을 강화시키고 내면적인 자아를 발전시킬 수 있는 프로그램을 운영해야 한다. 이는 자기존중감 강화 프로그램, 자기개발 프로그램, 자아실현을 위한 활동 등을 통해 개인이 자신에 대한 확신과 자신감을 키우는 것을 의미한다. 사회복지사는 이러한 프로그램을 통해 개인이 자신의 가치를 인식하고, 자아존중감을 높일 수 있도록 지원해야 한다. 이를 통해 개인은 더 큰 자신감을 갖고 자신의 목표를 향해 나아갈 수 있다.

맹자가 "말을 알며, 호연지기를 잘 기르노라"고 말하는 것처럼, 사회복지사는 개인의 사회적인 연결과 지지를 통해 내면의 강인함을 지원해야 한다. 이는 지역사회에서의 네트워크 구축, 지원 그룹 활동, 사회참여 프로그램 등을 통해 개인이 사회적으로 안정을 유지하고 자신의 의지를 지탱할 수 있는 환경을 조성하는 것을 의미한다. 사회복지사는 이러한 프로그램을 통해 개인이 사회적 지지를 받고, 공동체 속에서 소속감을 느끼며, 자신의 의지를 더욱 강하게 유지할 수 있도록 도와야 한다. 이를 통해 개인은 사회적 안정감과 함께 자신의 내면적 강인함을 지속적으로 강화할 수 있다.

이와 같이, 사회복지사는 맹자의 말씀을 바탕으로 개인의 심리적 안정, 자기존중감 강화, 사회적 지지를 통해 내면적 강인함을 증진시키는 프로그램을 운영해야 한다. 이러한 접근은 개인이 더 안정되고 만족스러운 삶을 살 수 있도록 돕는 데 큰 역할을 한다. 사회복지사는 이러한 프로그램을 통해 개인이 자신의 삶에서 더 큰 의미와 목적을 찾을 수 있도록 지원해야 한다.

사회복지사 실천법

- 긍정적인 자기 대화
- 자기존중을 위한 활동 추구
- 자기존중을 위한 관계 형성

개인이 자신의 의지와 능력에 대한 긍정적인 자기 대화를 하도록 유도해야 한다. 사회복지사는 개인들에게 자신을 인정하고 긍정적으로 평가하며, 자신의 능력과 자아를 존중하는 방법을 가르쳐줄 수 있다. 이를 통해 개인들은 자신의 능력과 가치를 인정받고, 긍정적인 자아 이미지를 형성할 수 있도록 도와야 한다. 이러한 과정은 개인이 자신에 대한 믿음을 갖게 하고, 자기 발전을 위한 긍정적인 동기를 제공할 수 있다.

자기존중을 높이기 위해 개인이 즐기고 흥미를 가지는 활동을 추구하도록 유도해야 한다. 사회복지사는 개인들이 자신의 특기와 장점을 발견하고, 그에 맞는 활동을 통해 스스로를 실현할 수 있도록 지원해야 한다. 예를 들어, 예술, 스포츠, 학문 등 다양한 분야에서 개인의 흥미를 찾고, 이를 통해 자기실현을 도모할 수 있는 기회를 제공해야 한다. 이를 통해 개인은 자기존중감을 높이고, 긍정적인 자아를 구축할 수 있다. 또한, 이러한 활동들은 개인의 삶에 활력을 불어넣고, 자신에 대한 긍정적인 시각을 강화하는 데 도움을 준다.

자기존중을 높이기 위해 개인이 서로 존중하고 지지해주는 관계를 형성하도록 유도해야 한다. 사회복지사는 개인들 간의 존중과 지지를 촉진하며, 지지 관계를 형성할 수 있도록 도와야 한다. 이는 그룹 활동, 커뮤니티 프로그램 등을 통해 개인들이 서로를 이해하고, 존중하며, 지지할 수 있는 환경을 조성하는 것을 포함한다. 이를 통해 개인들은 서로를 인정하고 존중함으로써 자신의 자존감을 높일 수 있다. 또한, 이러한 지지 관계는 개인이 어려움을 겪을 때 큰 힘이 되어줄 수 있으며, 사회적 안정감을 제공할 수 있다.

사회복지사는 개인의 자기존중감을 높이기 위해 다양한 방법을 적용해야 한다. 이는 긍정적인 자기 대화 유도, 개인의 흥미를 반영한 활동 지원, 그리고 상호 존중과 지지를 바탕으로 한 관계 형성을 포함한다. 이러한 접근을 통해 개인은 자신의 능력과 가치를 인정받고, 긍정적인 자아 이미지를 구축하며, 높은 자존감을 유지할 수 있다. 사회복지사는 이러한 과정을 통해 개인이 더 나은 삶을 영위할 수 있도록 지속적으로 지원해야 한다.

10. 하루 세 번 성찰하라

"화와 복이 자기로부터 구하지 않은 것이 없다." 《맹자, 공손추 상편》

맹자는 본 구절에서 성찰의 태도가 중요함을 말한다. 사회복지사는 현장에서 발생하는 문제를 정확하게 파악하기 위해 개인과 시스템 수준의 평가와 분석을 한다. 이를 통해 사회복지사는 개별 클라이언트나 조직의 상황을 파악해 문제를 파악하여, 사회복지 프로그램과 정책의 효과적인 구현을 위해 전략을 계획하고 개선점을 도출한다.

사회복지사는 자기성찰을 통해 자신의 감정, 행동, 의사 결정과 전문적인 역량에 대해 꾸준히 평가한다. 또한, 동료 사회복지사나 팀원들과 소통을 통해 서로의 경험과 지식을 나누고 피드백을 주고받는다. 이를 통해 사회복지사는 개인적인 성장과 전문적인 발전을 이루며, 효율적이고 효과적인 서비스 제공을 위해 끊임없이 노력한다.

사회복지사는 성찰을 통해 발견된 개선점을 바탕으로 지속적인 학습과 혁신을 추구하는 것이다. 새로운 이론, 방법과 최신 연구 결과를 습득하고 적용함으로써 현장에서 더 나은 결과를 얻을 수 있도록 노력한다. 또한, 사회복지사는 창의적이고 유연한 접근 방식을 채택하여 다양한 상황에 대처하고, 새로운 아이디어와 해결책을 모색한다. 이러한 성찰과 학습의 과정은 사회복지사가 변화하는 사회적 요구와 복잡한 문제들에 효과적으로 대응할 수 있다.

사회복지사는 성찰을 통해 자신의 전문성을 강화하고, 현장에서의 업무 수행 능력을 지속적으로 향상시킨다. 이는 사회복지사가 더욱 나은 서비스를 제공하고, 클라이언트의 삶의 질을 향상시키는 데 기여한다. 사회복지사는 자기성찰과 동료와 소통을 통해 자신의 역할과 책임을 재확인하고, 더 나은 사회복지 실천을 위한 방법을 모색한다. 이러한 과정은 사회복지사가 전문적인 윤리와 가치에 부합하는 서비스를 제공할 수 있다.

사회복지사는 성찰과 평가를 통해 발견된 개선점을 바탕으로 지속적인 학습과 혁신을 추구한다. 새로운 이론, 방법과 최신 연구 결과를 습득하고 이를 현장에 적용함으로써, 사회복지사는 보다 효과적인 결과를 얻기 위해 노력한다. 또한, 사회복지사는 창의적이고 유연한 접근 방식을 채택하여 다양한 상황에 대처하고, 새로운 아이디어와 해결책을 모색한다. 이러한 성찰과 학습의 과정은 사회복지사가 변화하는 사회적 요구와 복잡한 문제들에 효과적으로 대응할 수 있다.

사회복지사 실천법

- 책임과 솔직한 자기성찰
- 학습과 성장을 위한 자기개선
- 팀원 간의 협력과 배려

첫 번째로, 사회복지사는 실수를 인정하고 책임을 져야 한다. 실수를 발견하면 자신의 역할과 행동에 대해 솔직하게 반성하고 문제의 원인을 파악해야 한다. 이를 통해 자신의 부족함을 인정하고 개선할 수 있는 기회를 얻게 된다. 또한, 다른 팀원들에게도 그 실수를 공개하고 피드백을 요청하여 자신의 행동에 대한 외부적인 시각을 받아야 한다. 이러한 과정은 사회복지사가 더욱 투명하고 책임 있는 자세로 업무에 임하게 도와준다.

두 번째로, 사회복지사는 실수를 통해 자신을 개선하는 기회로 삼아야 한다. 자기성찰을 통해 실수의 원인과 배우는 점을 파악하고, 비슷한 상황에서는 같은 실수를 반복하지 않도록 노력해야 한다. 이를 위해 새로운 기술이나 접근 방법을 배워서 자신의 전문성을 향상시키고, 계속해서 성장하도록 노력해야 한다. 이러한 자세는 사회복지사가 더욱 전문적이고 효과적으로 업무를 수행할 수 있도록 해준다. 실수를 두려워하지 않고, 이를 통해 배우고 성장하는 과정은 사회복지사의 개인적인 발전뿐만 아니라, 제공하는 서비스의 질을 높이는 데도 크게 기여한다.

마지막으로, 사회복지사는 실수를 했을 때 팀 내 팀원들과의 협력을 강화하고 배려하는 태도를 보여야 한다. 자신의 실수로 인해 팀이나 클라이언트에게 영향을 줄 수 있는 경우, 팀원들에게 사과하고 해당 문제를 해결하기 위해 협력해야 한다. 또한, 다른 팀원들의 의견과 피드백을 적극 수용하고, 함께 문제를 해결하는 데에 적극 참여해야 한다. 이러한 태도는 팀워크를 강화하고, 더욱 효과적인 문제 해결을 가능하게 한다. 팀원 간의 신뢰와 협력을 바탕으로 하는 작업 환경은 더 나은 결과를 도출하는 데 필수적인 요소이다.

따라서, 사회복지사는 실수를 인정하고 책임지는 자세, 자기성찰을 통해 개선하려는 노력, 팀 내 협력과 배려의 태도를 통해 자신의 전문성을 향상시키고, 더 나은 서비스를 제공할 수 있다. 이러한 접근은 사회복지사가 클라이언트와 팀원들에게 신뢰를 쌓고, 지속적인 성장을 이루는 데 중요한 역할을 한다. 사회복지사는 이러한 과정들을 통해 더욱 신뢰받는 전문가로 성장할 수 있으며, 클라이언트에게 보다 효과적이고 진심 어린 지원을 제공할 수 있다.

11. 마음을 얻어라

"힘으로써 남을 복종시키는 자는 진심으로 복종하는 것이 아니라 힘이 부족해서요. 덕으로써 남을 복종시키는 자는 마음으로 기버하여 진실로 복종함이니." 《맹자, 공손추 상편》

맹자의 이 구절은 힘과 덕에 대한 두 가지 접근 방식을 비교하면서, 진심으로 복종하는 것의 진정한 의미를 강조한다.

사회복지사는 클라이언트를 도와야 할 때, 힘이 아니라 이해와 지원을 통해 접근해야 한다. 힘이 아닌 이해와 지원을 통해 상대방의 상황과 감정을 이해하고 그에 맞는 도움을 제공함으로써 진심으로 그들을 지원할 수 있다. 이는 클라이언트의 입장을 존중하고, 그들의 필요에 맞춘 지원을 제공함으로써 그들에게 진정한 도움을 주는 것을 의미하는 것이다. 사회복지사는 클라이언트의 상황을 깊이 이해하고, 그들의 감정을 공감하며, 적절한 지원을 제공함으로써 신뢰를 쌓아야 한다.

힘으로 복종시키는 것이 아닌, 존중과 신뢰를 통해 상대방과 소통하고 협력할 수 있어야 한다. 상대방의 입장을 이해하고 그들의 자존감을 존중함으로써 진심으로 상대방과 소통하고 협력할 수 있는 관계를 구축할 수 있다. 이는 사회복지사가 클라이언트의 말을 경청하고, 그들의 의견을 존중하며, 상호 신뢰를 바탕으로 한 관계를 형성하는 것을 의미한다. 이러한 관계는 클라이언트가 사회복지사와 협력하고자 하는 동기를 부여하며, 더 나은 결과를 도출할 수 있게 한다.

사회복지사는 힘이 아닌, 진실한 관심과 도움을 통해 상대방에게 진심으로 복종할 수 있도록 해야 한다. 상대방에게 진실한 관심을 가지고 그들의 니즈를 이해하고, 적절한 지원과 도움을 제공하여 상대방이 진심으로 복종하고자 하는 자세를 유도할 수 있다. 이는 클라이언트에게 진정한 관심을 보여주고, 그들의 요구를 충족시키기 위해 최선을 다하는 것을 의미한다. 사회복지사는 클라이언트의 필요를 정확히 파악하고, 그들에게 적절한 자원과 지원을 제공함으로써 그들이 신뢰하고 따를 수 있는 환경을 조성해야 한다.

이렇게 함으로써, 사회복지사는 힘이 아닌 이해와 지원, 존중과 신뢰, 진실한 관심과 도움을 통해 상대방의 진정한 필요를 충족시키고, 그들이 진심으로 협력하고자 하는 마음을 이끌어낼 수 있다. 이러한 접근은 사회복지사가 클라이언트와의 관계에서 긍정적인 변화를 이끌어내고, 그들의 삶에 실질적인 도움을 주는 데 큰 역할을 한다. 사회복지사는 클라이언트의 진정한 파트너로서 그들의 삶을 지원하고, 함께 문제를 해결하며, 지속적인 성장을 도모해야 한다.

사회복지사 실천법

- 열린 질문을 활용하라.
- 공감을 표현하라.

사회복지사가 클라이언트와의 상담에서 열린 질문과 공감 표현을 통해 편안함을 제공할 수 있다.

"어떤 일이 있었나요?" 이 질문을 통해 클라이언트는 자신의 상황이나 경험에 대해 자유롭게 이야기할 수 있다. 이는 클라이언트가 자신의 이야기를 나누고 속마음을 털어 놓을 수 있는 기회를 제공하는 것이다.

"어떤 감정을 느끼셨나요?" 이 질문은 클라이언트의 감정을 이해하고 공감할 수 있도록 돕는다. 클라이언트는 자신의 감정을 인식하고 이를 나타내는 것이 중요하다는 느낌을 받을 수 있다.

"어떻게 그 상황을 다루고 싶으세요?" 이 질문은 클라이언트가 자신의 상황을 다루는 방법에 대해 생각하고 자신의 욕구나 목표를 탐색할 수 있도록 돕는 것이다.

"제가 이해합니다. 정말 어려운 시간이겠군요." 이와 같은 표현을 사용하여 클라이언트의 감정을 이해하고 공감함을 나타낼 수 있다. 클라이언트는 자신의 감정을 받아 들여주고 이해해 주는 상대로서 사회복지사를 인식할 수 있다.

“당신의 감정을 완전히 이해할 수 있어요. 정말 힘든 일이었겠죠.” 클라이언트가 어려운 상황을 이야기할 때 이와 같은 표현을 사용하여 그들의 감정을 인정하고 공감함을 나타낼 수 있다.

“당신의 이야기를 듣고 있으니, 어떤 감정을 느끼셨을지 상상이 가네요.” 이러한 표현을 통해 클라이언트의 감정을 이해하고 공감할 수 있는 능력을 보여주는 것이다. 클라이언트는 자신의 이야기가 듣고 이해받는다는 느낌을 받을 수 있다.

이러한 열린 질문과 공감 표현을 통해 사회복지사는 클라이언트와의 상호작용을 촉진하고, 편안하고 지지받는 환경을 조성할 수 있다. 또한, 사회복지사는 피드백을 적극 수용하고, 함께 문제를 해결하는 데에 적극 참여해야 한다. 이는 클라이언트가 더욱 신뢰하고 의지할 수 있는 관계를 형성하는 데 큰 도움이 된다.

12. 자신을 바로 세워라

"인한 자는 활쏘기와 같으니, 활을 쏘는 자는 자신을 바로 잡은 뒤에야 발사하여, 발사한 것이 맞지 않더라도 자신을 이긴 자를 원망하지 않고 자신에게서 돌이켜 찾을 뿐이다."《맹자, 공손추 상편》

"인한 자는 활쏘기와 같으니"라는 말에서, 리더는 자신의 행동이나 의사결정이 마치 활을 쏘는 것과 같아서, 먼저 자신의 몸과 마음 상태를 살펴야 하는 '자기인식'으로 해석할 수 있다. 사회복지사의 자기성찰은 자기인식이 기반이 되며, 자신의 강점과 약점을 알고 향상시키려는 태도를 가져야 한다. 사회복지사는 자기인식을 통해 자신의 전문성을 높이고, 클라이언트에게 더 나은 서비스를 제공할 수 있도록 지속적으로 노력해야 한다.

"활을 쏘는 자는 자신을 바로 잡은 뒤에야 발사하여, 발사한 것이 맞지 않더라도 자신을 이긴 자를 원망하지 않고." 리더는 자기 책임을 인정하고, 잘못이 있을 경우에는 즉각적으로 그에 대한 책임을 질 준비가 되어 있음을 말한다. 이 구절은 사회복지사의 윤리적인 행동과 관련이 있다. 리더는 다른 이에게 피해를 주더라도 자신을 돌이켜 찾으며, 원망하지 않는 자세를 취해야 한다. 이는 사회복지사가 자신의 실수나 잘못에 대해 책임을 지고, 이를 개선하려는 태도를 가져야 함을 강조한다.

"자신을 이긴 자를 원망하지 않고 자신에게서 돌이켜 찾을 뿐이다." 이 구절은 타인과의 협력과 팀원들과의 관계에서 나타나는 특성을 설명한다. 리더는 자신의 오류나 결함에 대해 열린 태도를 가져야 하며, 팀원들과의 협력을 통해 문제를 해결하고 발전하려는 의지를 가져야 한다. 이는 사회복지사로서 팀원들과의 원활한 협력이 중요하다는 점을 말하는 것이다. 사회복지사는 팀원들과의 원활한 소통과 협력을 통해 더 나은 서비스를 제공하고, 클라이언트의 복지를 향상시키기 위해 노력해야 한다.

이와 같이, 사회복지사는 자신의 행동과 결정이 클라이언트와 팀원들에게 미치는 영향을 깊이 인식하고, 항상 자기성찰을 통해 자신의 전문성을 향상시키는 노력을 해야 한다. 사회복지사는 윤리적인 책임감을 가지고 자신의 잘못을 인정하고, 이를 개선하기 위해 노력해야 한다. 또한, 팀원들과의 협력을 통해 문제를 해결하고, 서로의 강점을 활용하여 더 나은 결과를 도출해야 한다. 이러한 태도는 사회복지사가 보다 효과적으로 업무를 수행하고, 클라이언트에게 진정한 도움을 제공할 수 있도록 하는 중요한 요소이다.

사회복지사 실천법

- 다양한 도서를 탐색한다
- 최신 자료에 관심을 가져라
- 독서 습관을 가져라

사회복지분야에서는 다양한 주제와 이슈가 발생하고 있다. 특정 분야에 국한되지 않고 사회복지의 다양한 측면을 이해하기 위해 다양한 주제를 다룬 도서를 탐색해야 한다. 예를 들어, 노인복지, 아동복지, 정신건강, 장애인 지원 등 다양한 영역에 대한 도서를 선택하여 통찰력을 키우는 것이 중요하다. 이러한 접근은 사회복지사가 다양한 클라이언트의 필요를 이해하고 효과적으로 지원할 수 있는 능력을 키우는 데 큰 도움이 된다.

사회복지분야는 지속적인 변화와 연구가 이루어지고 있는 분야이다. 최신 도서와 연구 자료를 통해 최신 동향과 이슈에 대한 이해를 강화할 수 있다. 전문 도서와 학술지, 연구보고서 등을 찾아 읽어보고, 실무에 적용 가능한 새로운 지식을 습득해야 한다. 이는 업무에서 효과적으로 대응하고 전문성을 높이는 데 도움이 된다. 사회복지사는 끊임없이 변화하는 사회적 요구에 대응하기 위해 최신 정보를 지속적으로 습득하고 이를 실무에 적용하는 노력을 기울여야 한다.

꾸준한 독서 습관을 형성하고 독서한 내용을 정리하는 것이 중요하다. 독서일지를 작성하거나 핵심 아이디어를 메모하는 등의 방법을 통해 내용을 복습하고 습득한 지식을 보다 오랫동안 유지할 수 있다. 정리된 내용을 팀원이나 동료들과 공유하면서 토론하고 의견을 교환하는 것도 유익하다. 이러한 과정은 사회복지사가 독서한 내용을 실무에 효과적으로 적용할 수 있도록 도와줄 뿐만 아니라, 팀원들과의 협력을 강화하고, 서로의 지식을 공유하여 보다 나은 서비스를 제공할 수 있는 기반을 마련해준다.

따라서, 사회복지사는 다양한 주제를 다룬 도서를 탐색하고, 최신 연구와 정보를 지속적으로 습득하여 자신의 전문성을 높이는 노력을 해야 한다. 또한, 꾸준한 독서 습관을 형성하고, 독서한 내용을 정리하고 공유함으로써 실무에 적용할 수 있는 지식을 습득해야 한다. 이러한 노력은 사회복지사가 클라이언트의 다양한 요구에 효과적으로 대응하고, 더 나은 서비스를 제공하는 데 큰 도움이 된다. 사회복지사는 항상 학습하고 성장하는 자세를 유지하며, 지속적으로 자신의 역량을 강화해야 한다.

13. 선한 마음을 가져라

"남에게 취하여 선을 행하는 것, 이것은 남이 선을 하도록 도와주는 것이다. 그러므로 군자는 남이 선을 하도록 도와주는 것보다 더 훌륭함이 없는 것이다."《맹자, 공손추 상편》

맹자는 남에게 선을 베풀고자 할 때, 먼저 상대방의 입장에서 생각하고 이를 이해하는 것이 중요하다고 말하고 있다. 사회복지사도 마찬가지로 자발성을 발휘하여 클라이언트의 요구와 어려움을 적극적으로 이해하고 수용하는 자세를 가져야 한다. 이는 자발성을 통해 선한 마음을 실천하는 출발점이며, 상호신뢰와 소통을 촉진하여 지속적인 도움을 제공할 수 있다. 사회복지사는 클라이언트의 입장을 이해하고 공감하며, 그들의 요구에 맞춘 지원을 제공함으로써 진정한 도움을 줄 수 있다.

군자는 남이 선을 하도록 도와주는 것이 훌륭함의 핵심이라고 맹자는 말하고 있다. 이 맥락에서 사회복지사는 자발적으로 지식과 기술을 개발하여 전문성을 향상시켜야 한다. 업무에 대한 높은 자발성은 사회복지사가 변화하는 사회적 요구에 부응하며 끊임없는 전문성 개발을 통해 클라이언트에게 보다 나은 지원을 제공할 수 있게 한다. 이는 사회복지사가 자신의 전문성을 지속적으로 향상시키고, 클라이언트에게 최신의 효과적인 지원을 제공할 수 있도록 하는 중요한 요소다.

맹자의 말에는 군자는 남이 선을 하도록 도와주는 것이 가장 훌륭하다고 강조하고 있다. 이는 사회복지사가 사회적으로 선한 영향을 미치고자 할 때, 자발적으로 참여하고 영향력을 행사하는 데에 초점이 맞춰져 있다. 사회복지사는 개인적이고 조직적인 수준에서 자발적으로 사회 문제에 개입하고 변화를 이끌어내는 역할을 수행해야 한다. 이를 통해 사회적으로 긍정적인 선순환을 조성하고 지속적인 사회적 변화를 촉진할 수 있다. 사회복지사는 자신의 역할을 자각하고, 적극적으로 사회적 변화와 발전에 기여하는 자세를 가져야 한다.

따라서, 사회복지사는 자발성을 통해 클라이언트의 요구와 어려움을 이해하고, 이를 바탕으로 적절한 지원을 제공해야 한다. 또한, 자신의 지식과 기술을 지속적으로 개발하여 전문성을 높이고, 클라이언트에게 보다 나은 지원을 제공할 수 있도록 노력해야 한다. 사회복지사는 사회적 문제에 자발적으로 개입하고, 긍정적인 변화를 이끌어내는 역할을 수행함으로써, 사회적으로 선한 영향을 미치고 지속적인 변화를 촉진할 수 있다.

사회복지사 실천법

- 전문성을 키워라
- 네트워킹으로 협력하라
- 가치와 목표를 세워라

사회복지사는 지속적인 전문성 개발을 통해 자발성을 키울 수 있다. 새로운 지식과 기술을 학습하고 현장에서의 경험을 통해 전문성을 향상시킴으로써, 업무 수행에 대한 자신감과 의지를 높일 수 있다. 꾸준한 학습과 개발은 자발적으로 업무에 참여하고 적극적으로 기회를 모색하는 데 도움이 되며, 이는 자발성을 키우는 핵심 요소다.

타인과 소통하고 협력하는 과정에서 자발성을 확장할 수 있다. 사회복지사는 다양한 이해관계자들과 관계를 형성하고 협력하는 데에 적극적으로 참여해야 한다. 이를 통해 새로운 아이디어와 지원의 기회를 얻을 수 있으며, 다양한 관점에서 문제를 바라보는 능력을 키우게 된다. 사회적 네트워킹은 자발적으로 도움을 제공하고 받는 기회를 창출하며, 역동적인 사회복지 현장에서의 자발성을 뒷받침한다.

개인의 가치와 목표를 명확하게 정립하고 이를 추진하는 것은 자발성을 키우는 핵심이다. 사회복지사는 자신이 추구하는 가치와 목표를 명확히 이해하고, 이를 향해 노력하며 성취하는 과정에서 자발성을 확보한다. 개인의 목표는 업무에 대한 동기부여를 높이고, 더 나은 서비스 제공을 위해 끊임없이 노력함으로써 자발성을 강조하는 방향으로 나아간다.

따라서, 사회복지사는 지속적인 전문성 개발, 타인과의 소통과 협력, 그리고 개인의 가치와 목표 정립을 통해 자발성을 키워야 한다. 이는 사회복지사가 보다 효과적으로 클라이언트를 지원하고, 전문성을 발휘하며, 사회적 변화를 이끌어내는 데 중요한 역할을 한다. 자발성을 통해 사회복지사는 자신감과 의지를 가지고 업무에 임할 수 있으며, 클라이언트와의 신뢰 관계를 강화하고, 더 나은 복지 서비스를 제공할 수 있다.

이와 같이, 사회복지사는 자발성을 통해 자신의 역량을 지속적으로 개발하고, 사회적 네트워킹을 통해 다양한 기회를 모색하며, 자신의 가치와 목표를 실현하는 데에 집중해야 한다. 이러한 접근은 사회복지사가 클라이언트에게 보다 효과적이고, 지속 가능한 도움을 제공하는 데 중요한 기반이 된다. 사회복지사는 자발성을 바탕으로 자신의 전문성을 강화하고, 사회적 변화를 촉진하는 역할을 수행함으로써, 더욱 긍정적인 영향을 미칠 수 있다.

14. 약점을 인정하라

"백이는 좁고, 류하혜는 공손하지 않으니, 좁음과 공손하지 않음은 군자가 행하지 않는다." 《맹자, 공손추 상편》

백이는 청렴결백한 결기를 가졌지만 속이 좁다는 단점이 있으며, 류하혜는 도리를 지키면서 업무를 성실히 수행하지만 공손하지 못한 부분이 있었다. 군자는 두 사람이 가진 강점과 약점을 두루 지니고 있고, 어느 한쪽으로 치우치지 않는 태도가 바람직하다고 강조한다.

사회복지실천가도 완벽하지 않은 존재다. 뛰어난 지식을 가지고 있더라도 가치관이 모호할 수 있고, 뛰어난 기술을 갖추더라도 지식이 부족할 수 있다. 그러나 이러한 한계를 갖더라도, 사회복지실천가는 군자와 같이 특정 부분의 뛰어남에만 의존하지 않고, 전문적인 지식과 명확한 가치관, 높은 기술 수준을 두루 갖추려는 노력이 필요하다. 이는 사회복지실천가가 보다 균형 잡힌 전문성을 가지기 위해 끊임없이 자신을 개발해야 함을 의미한다.

사회복지사는 자신을 이해하고 객관적으로 평가하는 자기계발의 태도가 필요하다. 자신의 강점과 약점을 분명히 인식하고 이를 개선하는 노력이 필요하다. 사회복지사는 도덕적인 가치와 윤리적인 행동이 중요하다. 류하혜가 도리를 중시하면서도 부족한 부분이 있다고 평가받았듯이, 사회복지사도 내담자와의 상호작용에서 원칙을 지키되 적절한 의사소통을 유지해야 한다. 이는 사회복지사가 클라이언트와의 관계에서 신뢰를 쌓고, 효과적인 지원을 제공하기 위한 필수적인 태도다.

사회복지사는 군자의 태도에 따라 전문성과 역량을 키우는 데 힘써야 한다. 지식, 가치, 기술이라는 세 가지 요소를 균형 있게 발전시켜 나가는 것이 중요하다. 이를 위해서는 지속적인 교육과 훈련이 필요하다. 사회복지사는 끊임없이 학습하고, 최신의 지식과 기술을 습득하며, 명확한 가치관을 확립해야 한다. 이를 통해 클라이언트에게 보다 나은 서비스를 제공할 수 있으며, 사회적으로 긍정적인 영향을 미칠 수 있다.

따라서, 사회복지사는 자신을 객관적으로 평가하고, 지속적인 자기계발을 통해 전문성을 강화해야 한다. 이는 자신의 강점과 약점을 명확히 인식하고, 이를 개선하기 위한 노력을 포함한다. 또한, 도덕적 가치와 윤리적 행동을 중요시하며, 클라이언트와의 상호작용에서 원칙을 지키되 적절한 의사소통을 유지해야 한다. 이를 통해 사회복지사는 균형 잡힌 전문성을 갖추고, 보다 효과적인 서비스를 제공할 수 있다.

사회복지사 실천법

- 자신을 인정하라.
- 타인의 말에 귀 기울여라
- 실패를 통해 성장하라

열린 마음과 겸손한 자세는 먼저 자아를 인식하고 자기를 인정하는 것에서 출발한다. 우리는 완벽하지 않은 존재이며, 부족함이라는 현실을 받아들이는 것은 강한 자아인식을 필요로 하다. 자기 자신에게 솔직하게 대면하고, 부족한 부분에 대한 인정과 수용을 통해 열린 마음의 문을 열 수 있어야 한다. 이는 자아인식의 시작으로, 우리 자신을 더 잘 이해하고 받아들이게 된다.

열린 마음을 갖기 위해서는 타인의 의견에 귀를 기울이는 능력이 필요하다. 주변의 조언과 피드백을 환영하고, 그것을 통해 자신의 부족함을 파악한다. 타인의 시각을 수용하고 존중하는 것은 겸손한 자세의 첫걸음이다. 이는 자신의 성장을 위한 소중한 자료로써 활용될 수 있다.

열린 마음과 겸손한 자세는 학습과 실패를 통해 성장하는 과정에서 발전한다. 새로운 경험을 즐기며, 실패를 두려워하지 않고 받아들이는 것이 중요하다. 부족함을 인정하고 이를 극복하기 위해 지속적으로 노력하는 과정에서 겸손한 자세가 강조된다. 자신의 한계와 결점을 인정하면서도, 그것을 극복하는 데 필요한 노력을 게을리하지 않는 것이 중요하다.

따라서, 열린 마음과 겸손한 자세는 자아인식에서 시작되어, 타인의 의견을 수용하고, 학습과 실패를 통한 성장 과정에서 발전한다. 우리는 완벽하지 않으며, 부족함을 인정하고 이를 극복하기 위한 지속적인 노력이 필요하다. 이러한 자세는 우리의 성장을 촉진하고, 더 나은 자신으로 발전하는 데 중요한 역할을 한다.

15. 비전을 가져라

"하늘의 때는 지리적 이점만 못하고, 지리적 이점은 사람들이 화합함만 못하다." 《맹자, 공손추 하편》

하늘의 때, 지리적 이점, 그 어느 것도 단독으로는 바람직한 삶을 창출하지 못한다. 맹자의 깊은 통찰력은 사람들 간의 화합이 곧 진정한 풍요로운 삶의 시작이라는 것을 보여주고 있다. 이에 따라 사회복지사는 대동사회를 이루기 위한 핵심 가치와 서비스를 제공하기 위해 아래와 같은 세 가지를 추구해야 한다.

사회복지사는 다양성을 존중하고 그 안에서 각 개인의 가치와 특성을 인식해야 한다. 사람들은 서로 다른 삶의 배경과 경험을 가지고 있기에, 단일한 접근이 아닌 다양한 서비스를 제공하여 모든 사람이 편안하게 참여하고 자신을 발전시킬 수 있도록 도와야 한다. 문화적, 경제적, 사회적으로 다양한 요구에 부응하는 프로그램을 개발하고 제공함으로써, 사람들은 자신의 독특한 가치를 발견하고 사회에 기여하는 기회를 얻게 된다.

사회복지사는 개인의 자립을 중요시하면서도, 상호의존과 공동체 의식을 강조하는 프로젝트를 적극적으로 추진해야 한다. 사람들이 서로 도움을 주고 받는 관계를 형성하며, 지역사회에 적극적으로 참여함으로써 조화로운 공동체가 형성되도록 해야 한다. 이를 위해 상호의존적인 서비스와 지역사회 참여를 장려하고, 공동체 프로젝트를 통해 사회복지사는 사람들을 함께 모으고 서로가 서로에게 필요한 공동체를 형성하게 된다. 이러한 공동체 의식은 사람들이 서로를 지원하고 협력하며, 함께 성장하는 환경을 만드는 데 필수적인 요소다.

사회복지사는 물질적 풍요와 조화로운 인간관계를 제공하기 위해 혁신과 지속가능성을 추구해야 한다. 사회복지 분야에서의 최신 트렌드와 연구를 적극적으로 반영하고, 새로운 프로그램과 서비스를 도입하여 지속적인 향상을 이루어 나가야 한다. 이를 통해 사회복지사는 시대의 변화에 부응하면서도 지속가능하고 효과적인 서비스를 제공하여 대동사회를 이루어 나가는 데 일조한다. 혁신적인 접근과 지속가능한 실천은 사회복지사가 클라이언트에게 더 나은 지원을 제공하고, 사회 전체의 복지를 증진시키는 데 중요한 역할을 한다.

사회복지사의 미래는 사람 중심의 서비스를 통해 대동사회를 이루어 나가는 여정이다. 다양성을 존중하고 상호의존과 공동체 의식을 키우는 노력, 지속가능하고 혁신적인 서비스를 제공하는 것은 이러한 비전을 실현하기 위한 필수적인 요소다. 맹자의 가르침을 바탕으로, 사회복지사는 물질적 풍요뿐 아니라 사람들 간의 화합과 조화로운 관계를 형성하며, 궁극적으로는 국민 모두가 서로를 믿고 화합하여 조화를 이루는 하나로 통합된 사회, 즉 대동사회를 구축하는 데 기여한다.

사회복지사 실천법

- 지역사회 기반 프로젝트를 실행
- 열린 공동체를 구성
- 상호지원 네트워크를 구축하라

첫째, 지역사회 기반 프로젝트를 실행하라. 상호의존은 우리 주변의 이웃들과의 긍정적인 관계에서 시작된다. 지역사회 기반의 상호의존 프로젝트를 통해 사회복지사는 다양한 이웃들이 서로에게 필요한 지원을 제공하고, 서로를 이해하며 성장하는 기회를 제공할 수 있다. 이는 지역사회 내에서 작은 모임이나 프로그램을 조성하여 이웃 간의 소통과 상호 지원을 촉진하는 것을 의미한다. 예를 들어, 스킬 공유 워크숍이나 이웃 간 소규모 서로 돕기 그룹을 조성하여 지역사회의 유대감을 높이고, 상호의존을 강화할 수 있다.

둘째, 열린 공동체를 구성하라. 다양성 존중과 열린 소통은 공동체 의식을 키우기 위한 핵심 원칙이다. 사회복지사는 지역 내 다양한 문화와 배경을 존중하고, 이를 적극적으로 인식하며 다양성을 즐길 수 있는 이벤트를 개최한다. 예를 들어, 다양한 문화의 전통 음식 페스티벌, 공동체 믹싱팟 프로그램, 혹은 역량 향상을 위한 특강과 워크숍을 통해 사람들이 서로를 더 잘 이해하고 소통할 수 있는 기회를 마련한다. 이를 통해 사회복지사는 다양성을 존중하고 활용하여 공동체 의식을 증진시키는 데 일조한다.

셋째, 상호지원 네트워크를 구축하라. 지역사회에서 상호의존과 공동체 의식을 강화하기 위해서는 상호지원 네트워크의 구축이 필수다. 사회복지사는 지역 내에서 자원과 능력을 공유할 수 있는 네트워크를 형성하고 유지하여, 이웃들 간의 지속적인 상호지원을 활성화한다. 또한, 현대 사회에서는 온라인 플랫폼을 적극적으로 활용하여 지역사회와 상호작용할 수 있는 다양한 기회를 제공할 수 있다. 소셜미디어를 활용하여 이웃 간의 소통을 촉진하고, 온라인 상호지원 그룹을 구성하여 지역사회의 힘을 모으는 것이 가능하다.

이와 같이, 사회복지사는 지역사회 기반 프로젝트를 실행하고, 열린 공동체를 구성하며, 상호지원 네트워크를 구축함으로써 지역사회의 상호의존과 공동체 의식을 강화할 수 있다. 이러한 접근은 지역사회의 유대감을 높이고, 사람들이 서로를 도우며 성장할 수 있는 환경을 조성하는 데 중요한 역할을 한다. 사회복지사는 이러한 노력을 통해 보다 포괄적이고 조화로운 지역사회를 구축하는 데 기여해야 한다.

16. 고난에 맞서라

"하늘이 장차 그 사람에게 큰 사명을 내리려 할 때는, 먼저 그의 마음을 괴롭게 하고, 뼈와 힘줄을 힘들게 하며, 육체를 굶주리게 하고, 그에게 아무것도 없게 해 그가 행하고자는 바와 어긋나게 한다." 《맹자, 고자 하편》

맹자의 말에는 어려움과 시련을 통해 자신을 강화하고 성장하는 과정이 담겨있다. 이러한 통찰을 기반으로, 사회복지사의 자기혁신과 사회복지현장에서 생기는 시련을 극복하는 삶의 태도는 다음과 같다.

첫째, 고난인식과 마인드셋이다. 사회복지사는 어려움을 마주할 때, 이를 자기성장의 기회로 삼고 긍정적 마인드를 유지해야 한다. 마음의 괴로움을 이기기 위해서는 자신에 대한 이해와 용서의 관점으로 시련을 바라보아야 한다. 업무의 과실은 난관일 수 있지만, 이를 도전의 기회로 삼고 경험을 토대로 성장하려는 의지가 필요하다. 긍정적인 마음가짐을 유지하여 더 나은 전문가로 성장할 수 있는 기회로 삼아야 한다. 이러한 마인드셋은 사회복지사가 어려운 상황에서도 희망을 잃지 않고, 지속적으로 자기계발에 힘쓰도록 도와주는 것이다.

둘째, 자기계발을 통한 육체 강화이다. 사회복지사는 자기혁신을 위해 신체건강이 중요하다. 규칙적인 운동과 올바른 식습관을 통해 육체적인 건강을 유지하고, 이를 통해 업무의 도전에 대응할 능력을 키워야 한다. 자기성장은 전문성 향상을 통해 이루어진다. 계속해서 새로운 지식과 기술을 습득하며, 업무의 어려움에 대비하기 위해 자기계발에 힘쓰는 것이 중요하다. 마음과 신체를 건강히 하고, 자신의 능력을 키우는 데 초점을 맞춰야 한다. 이를 통해 사회복지사는 보다 탄탄한 기초 위에서 업무를 수행할 수 있게 된다.

셋째, 협력을 통한 성장이다. 업무의 과실로 인한 어려움을 극복하기 위해서는 지속적인 학습과 팀원들과의 소통이 필수이다. 고민을 함께 나누고 팀원들과의 긴밀한 협력을 통해 어려움을 극복하는 자세가 필요하다. 경험이 풍부한 선배의 멘토링을 통해 지혜를 얻고, 동료들과의 경험 공유를 통해 성장을 이끌어내야 한다. 이러한 협력과 소통은 사회복지사가 다양한 시각과 방법을 배우고, 보다 효과적으로 문제를 해결하는 데 도움이 된다.

맹자의 통찰을 토대로, 사회복지사는 고난과 어려움을 극복하며 자기 혁신하는 여정에서 고유한 삶의 태도를 가질 수 있다. 고난의 마음을 괴로움이 아닌 자기 성장의 기회로 여기고, 시련을 도전하고 받아들이면, 자기혁신의 기회로 성장할 수 있다. 이러한 태도를 갖춘 사회복지사는 더 큰 사명을 이룰 수 있다.

사회복지사 실천법

- 자기반성을 통해 학습
- 동기부여로 마인드셋
- 팀원과 협력

첫째, 자기반성을 통해 학습하라. 업무 실수가 발생한 경우, 사회복지사는 먼저 실수의 원인을 찾아내고 자기반성을 통해 어떤 부분에서 문제가 발생했는지를 파악해야 한다. 실수를 일으킨 구체적인 상황, 판단 오류, 혹은 부족한 정보 등을 자세히 살펴보고, 어떻게 더 나은 대처가 가능했을지를 고민해야 한다.

발생한 실수를 통해 얻은 교훈을 정리하고, 비슷한 상황에서의 실수를 예방하기 위한 개선 계획을 수립해야 한다. 필요하다면 추가 교육이나 훈련을 통해 해당 분야의 전문성을 향상시키고, 향후 발생 가능성이 있는 문제를 사전에 예방하는 방법을 찾아야 한다.

실수 후에는 동료나 상급자와 소통하며 다양한 의견을 수렴하는 것이 중요한 것이다. 다양한 시각과 경험을 듣고 받아들이면서, 업무에 대한 통찰을 얻을 수 있고, 향후에는 협력과 피드백을 통해 더 나은 결과를 도출할 수 있는 것이다.

둘째, 동기부여로 마인드셋하라. 실수를 접했을 때 자기자신을 탓하지 말고, 자기에 대한 이해와 용서를 통해 긍정적인 마인드셋을 유지해야 한다. 모든 사람은 실수를 할 수 있으며, 이를 통해 성장의 기회가 되어야 한다. 동기부여를 위해 목표와 비전을 확인하고 조정하는 것이 중하다.

업무 실수는 잠시의 어려움이지만, 장기적인 목표를 향해 나아가기 위한 학습과 경험의 일부라고 생각해야 한다. 목표와 비전을 재설정하면서 긍정적인 에너지를 얻을 수 있다.

셋째, 팀원과 협력하라. 업무 실수가 발생한 경우 팀원들과 소통을 통해 상황을 이해하고 해결책을 찾아가는 과정이 중요하다. 업무협력과 소통은 실수를 극복하는 데 도움이 되며, 팀원들의 지원을 통해 긍정적인 효과가 생기기도 한다. 상급자나 경험이 풍부한 동료로부터 조언을 듣고 받아들이는 것이 중요하다. 실수에 대한 피드백을 통해 전문성을 키우고, 향후 유사한 상황에서 빠르게 대응할 수 있는 능력을 키울 수 있다.

17. 용기를 가져라

"나는 일찍이 스승 공자에게서 큰 용기에 대해 들었는데, 스스로 돌아켜보아 곧지 못하면 비록 헐렁한 무명 옷을 평민에게도 내 어찌 두려워하지 않을 수 있겠는가? 스스로 돌이켜보아 곧으면 비록 천만 명이 있다고 하더라도 나아갈 것이다." 《맹자, 공손추 하편》

사회복지사는 현대 사회에서 다양한 어려움에 직면한 개인과 집단을 지원하고 도우며, 사회적 고립과 불평등을 해소하기 위해 노력하는 역할을 수행한다. 이러한 역할에서 사회복지사는 공자의 가르침에서 얻은 '용기'에 대한 교훈을 바탕으로 행동해야 한다.

첫째, 업무에 도전하는 용기이다. 사회복지사는 종종 업무상의 도전과 어려움에 직면하게 된다. 현장에서는 예상치 못한 문제나 복잡한 상황에 대처해야 하는 경우가 흔하며, 이에 대한 대응 능력과 용기가 반드시 필요하다. 업무상의 도전에 대처하는 용기는 문제 해결 능력과 유연성을 키우고, 개인의 성장과 전문성 향상을 위한 원동력이 된다. 사회복지사는 이러한 용기를 통해 새로운 도전과 변화를 두려워하지 않고, 적극적으로 문제를 해결하고 발전할 수 있다.

둘째, 관계에서 자유로울 용기이다. 사회복지사는 클라이언트와의 관계에서 흔히 어려움에 부딪히게 된다. 클라이언트의 다양한 상황과 감정에 대응하면서, 종종 개인적인 감정 부담을 겪을 수 있다. 이런 상황에서 사회복지사는 자유로움을 향한 용기를 가져야 한다. 자유로움은 클라이언트의 의견을 존중하고, 그들의 결정을 존중하며, 동시에 조력가로서 지도와 지원을 제공하는 것을 뜻한다. 이는 사회복지사가 클라이언트와의 관계에서 건강한 경계를 유지하고, 클라이언트의 자율성을 존중하면서도 필요한 지원을 제공하는 데 중요한 덕목이다.

셋째, 불평등에 도전하는 용기이다. 사회복지사는 현장에서 다양한 불평등을 만나게 된다. 이런 상황에서 사회복지사는 사회적 정의와 평등을 추구하는 용기를 가져야 한다. 어떤 경우에도 차별과 불평등에 맞서고, 구조적인 문제에 대한 비판적 시각을 가지고, 정의로운 사회를 위해 노력하는 용기가 필요하다. 이는 사회복지사가 사회적 변화를 이끌어내고, 보다 평등하고 공정한 사회를 만들기 위한 필수적인 요소다.

사회복지사가 사회복지현장에서 가져야 할 용기는 다양한 영역에서 요구된다. 업무에 도전하는 용기, 관계에서 자유로운 용기, 불평등에 도전하는 용기는 모두 현장에서 효과적이고 지속적인 사회 변화를 이끌어가는 필수 덕목이다. 이러한 용기를 바탕으로 사회복지사는 클라이언트와의 관계에서 신뢰를 쌓고, 사회적 변화를 이끌어내며, 개인의 전문성을 지속적으로 향상시킬 수 있다.

사회복지사 실천법

- 태도의 유연함
- 신속하게 문제 해결
- 윤리적으로 판단

사회복지사는 현장에서 다양한 상황과 문제에 직면하며, 때로는 예상치 못한 문제에 대처해야 할 필요가 있다. 이에 대한 평정심은 사회복지사의 전문성과 업무 수행 능력을 크게 좌우한다.

첫째, 태도의 유연함을 가져라. 예상치 못한 문제에 부딪혔을 때, 사회복지사는 긍정적인 마인드를 유지하고 태도의 유연성을 가져야 한다. 부정적인 상황에서도 문제를 해결하기 위해 노력하고, 클라이언트나 동료들에게 긍정적인 영향을 전해야 한다. 예를 들어, 예상치 못한 긴급 상황에서도 냉정하게 대처하고 긍정적인 소통을 통해 협력하는 분위기를 만들 수 있다.

둘째, 신속하게 문제를 해결하라. 평정심은 예상치 못한 문제에 대한 빠른 판단과 신속한 행동력을 함께 수반해야 한다. 사회복지사는 문제의 본질을 파악하고, 효과적인 대처 방안을 마련하는 데 능숙해야 한다. 예를 들어, 급박한 상황에서는 적절한 응급조치를 취하고, 문제 해결을 위한 계획을 신속하게 수립하여 현장에서의 효과를 극대화해야 한다.

셋째, 윤리적으로 판단하라. 예상치 못한 문제에 직면할 때 사회복지사는 항상 윤리적인 판단과 결정을 지켜야 한다. 클라이언트의 권리와 안전을 최우선으로 고려하며, 사회적 정의와 공정성을 중시해야 한다. 예를 들어, 윤리적인 가치를 고려하여, 클라이언트에게 불이익을 초래하지 않도록 노력해야 한다.

사회복지사가 예상치 못한 문제에 대처할 때 지켜야 하는 평정심은 긍정적인 마인드, 신속하고 효과적인 문제 해결 능력, 그리고 윤리적인 판단과 결정이다. 이러한 평정심을 통해 사회복지사는 예상치 못한 상황에서도 안정된 태도로 업무를 수행하며, 클라이언트와 협력자에게 높은 신뢰를 얻을 수 있다.

따라서, 사회복지사는 다양한 상황과 문제에 대처하기 위해 평정심을 유지하고, 긍정적인 태도와 신속한 문제 해결 능력을 갖추어야 한다. 또한, 윤리적인 판단을 통해 클라이언트의 권리와 안전을 보호하며, 사회적 정의를 실현해야 한다. 이러한 자세는 사회복지사가 현장에서 더욱 효과적으로 일하며, 클라이언트와 사회 전체에 긍정적인 영향을 미치는 데 중요한 역할을 한다.

18. 소신을 가져라

"관직을 맡은 자가 그 직책을 수행할 수 없으면 떠나고, 언관의 책임을 맡은 자가 간언을 제대로 할 수 없으면 떠난다 하니." 《맹자, 공손추 하편》

인류의 역사 속에서 각종 직무와 책임을 맡은 사람들은 그 역할에 부응하여 삶을 살아가기 위해 노력하고 있다. 이러한 노력과 역할에는 도덕적인 책임과 소신이 뒤섞여 있다. 맹자의 말처럼, "관직을 맡은 자가 그 직책을 수행할 수 없으면 떠나고, 언관의 책임을 맡은 자가 간언을 제대로 할 수 없으면 떠난다 하니," 우리는 각자가 맡은 책임에 충실하고 소신을 가져야 한다. 특히 사회복지사로서, 이러한 삶의 태도는 더욱 중요하게 부각된다.

첫째, 책임의 중요성이다. 사회복지사로서 역할은 삶의 다양한 어려움에 직면한 개인과 집단을 돕는다. 이러한 역할을 수행하기 위해서는 철저한 책임감이 필요하며, 이는 우리가 맡은 관직을 성실히 수행하는 데에서 나타난다. 맹자의 말에서 나온 "떠난다"는 것은 단순한 퇴직이 아니라, 책임을 다하지 못한다면 그 자리에 머물지 말고 다른 길을 찾아가라는 교훈을 담고 있다. 사회복지사는 자신이 맡은 역할과 책임을 충실히 수행하여 클라이언트에게 실질적인 도움을 줄 수 있어야 한다.

둘째, 사회복지사의 소신과 인간애이다. 사회복지사는 다양한 사회 이슈에 대처하면서도 그 소신을 잃지 않아야 한다. 소신은 개인의 가치관과 도덕적 책임을 기반으로 하며, 그것이 없이는 업무에 대한 진정한 헌신이 이루어지기 어렵다. 또한, 맹자가 강조하는 것처럼 언관의 책임 역시 중요한데, 사회복지사는 간언을 통해 사회의 문제를 해결하고, 개인과 사회 간의 소통을 원활하게 이끌어 나가야 한다. 이는 사회복지사가 클라이언트와의 관계에서 신뢰를 쌓고, 사회적 변화를 이끌어내는 데 필수적인 요소다.

셋째, 도전과 성장이다. 소신을 가지고 자기 책임을 다하는 것은 어려운 일이다. 하지만 이러한 노력과 헌신은 자아의 성장과 함께 사회에 긍정적인 영향을 끼친다. 사회복지사로서의 삶은 항상 도전의 연속이지만, 그 속에서 얻는 보람과 성취감은 더 큰 가치를 지닌다. 맹자의 말처럼, "관직을 맡은 자가 그 직책을 수행할 수 없으면 떠나고, 언관의 책임을 맡은 자가 간언을 제대로 할 수 없으면 떠난다 하니." 사회복지사로서 우리에게도 소신을 가지고 책임을 다하는 삶의 태도가 필요하다. 이를 통해 우리는 개인적인 성장과 함께 사회적으로도 더 큰 가치를 창출할 수 있다. 사회복지사로서의 길은 언제나 도전적이지만, 그 안에서 찾는 소신은 우리의 삶을 더 의미 있게 만들어 준다.

사회복지사 실천법

- 대화로 설득하라
- 팀과 협력하라
- 상급자나 감사 기구에 의뢰하라

사회복지사가 조직의 리더로서 건의나 해결 방안이 무시되거나 묵살될 경우, 이에 대응하여 조직 내에서 적절한 행동을 취할 수 있다. 아래는 세 가지 행동지침에 대한 실천법이다.

첫째, 대화로 설득하라. 사회복지사는 리더나 조직 구성원과 직접적인 대화를 통해 의견을 나눌 수 있어야 한다. 건의나 해결방안이 무시된 이유에 대한 이해를 도모하고, 자신의 입장과 가치관을 상세히 전달하여 상호 간의 의사소통을 강화할 수 있다. 이를 통해 문제의 근본 원인을 파악하고 해결책을 찾을 수 있다. 열린 대화를 통해 서로의 관점을 이해하고, 더 나은 결정을 도출할 수 있다.

둘째, 팀과 협력하라. 다른 팀 구성원들과 협력하여 문제를 공유하고 해결방안을 모색할 수 있다. 이를 위해 팀 회의나 피드백 세션 등을 활용하여 조직 구성원들의 다양한 의견을 듣고 통합할 수 있다. 팀의 지지를 받으면 리더에 대한 압박을 효과적으로 관리하고 변화를 이끌어낼 수 있다. 공동의 목표를 향해 협력함으로써, 문제 해결의 가능성을 높일 수 있다.

셋째, 상급자나 감사 기구에 의뢰하라. 건의나 해결방안이 무시될 경우, 상급자나 조직 내 감사 기구에 문제를 제기할 수 있다. 이를 통해 조직 내의 불공정한 현상에 대한 감시와 개선을 도모할 수 있다. 정당한 이유와 근거를 제시하며 신뢰성 있는 증거를 제공하는 것이 중요하다. 상급자나 감사 기구는 이러한 제안을 신중하게 검토하고 필요한 조치를 취한다. 조직의 투명성과 공정성을 유지하기 위해 이러한 절차는 필수다.

위의 행동 지침은 사회복지사가 조직 내에서 불공정한 상황에 대응하고 효과적으로 변화를 이끌어내기 위한 방법으로 활용될 수 있다. 이를 통해 조직의 효율성과 공정성을 증진시키며, 사회복지사의 역할을 보다 효과적으로 수행할 수 있다. 사회복지사는 이러한 행동 지침을 바탕으로, 조직 내에서의 역할을 충실히 수행하고, 클라이언트와 사회 전체에 긍정적인 영향을 미치는 데 기여해야 한다.

19. 잘못을 인정하라

"옛날의 군자는 허물이 있으면 고쳤는데, 지금의 군자는 허물이 있으면 그것을 지속하는구나. (…) 또 더 나아가 변명을 하는구나." 《맹자, 공손추 하편》

맹자의 말처럼 군자와 리더는 자신의 허물이 있으면 변명하지 않고 인정하고 수용하는 태도가 필요하다. 사회복지사로서 자신을 인정하고 성장하기 위한 세 가지 태도는 다음과 같다.

첫째, 자기평가와 진실한 대화이다. 사회복지사가 자신을 인정하고 성장하기 위해서는 먼저 객관적인 자기평가와 진실한 대화가 필요하다. 자기평가를 통해 본인의 강점과 약점을 정확하게 파악하고, 이를 토대로 진실한 대화를 나누어야 한다. 자신의 부족한 점은 변명이 아닌 직시하고 인정하는 태도를 갖는 것이 중요하다. 이러한 태도는 자신의 성장과 전문성 향상으로 이어진다. 사회복지사는 객관적인 자기평가를 통해 자신을 더 잘 이해하고, 발전을 위한 계획을 세울 수 있다.

둘째, 클라이언트 중심의 접근과 피드백 수용이다. 자신을 인정하는 것은 사회복지현장에서 클라이언트와의 상호작용에서도 나타난다. 사회복지사는 항상 클라이언트 중심의 접근을 통해 그들의 욕구를 파악하는 것이 중요하다. 그들의 피드백을 열린 마음으로 수용하고 개선하는 데 적극적으로 참여해야 한다. 자신을 인정하는 사회복지사는 클라이언트와의 상호작용에서도 학습하고 성장하는 기회로 삼아야 한다. 이를 통해 사회복지사는 클라이언트의 요구에 더 효과적으로 대응하고, 보다 나은 서비스를 제공할 수 있다.

셋째, 실패에 대한 긍정적인 마음이다. 사회복지사로의 성장은 도전과 실패를 기반으로 나아가는 것이다. 자기를 인정하는 사람은 도전에 적극적으로 나서고 실패를 두려워하지 않는다. 오히려 실패를 통해 더 나은 방향을 찾고, 개선점을 발견하는 사람이다. 긍정적인 마음가짐은 자신의 능력과 가능성을 발휘하게 한다. 사회복지사는 실패를 통해 배우고, 이를 바탕으로 더욱 발전할 수 있는 기회를 만든다.

사회복지사는 자신을 인정하고 성장하기 위해서는 자기평가, 클라이언트 중심의 접근, 그리고 긍정적인 마인드셋이 필요하다. 과거의 허물이 아닌 현재와 미래에 집중하며, 변명이 아닌 책임과 성장을 위한 노력을 게을리하지 않는다면, 전문가로서의 길을 걸어갈 수 있다. 이러한 태도를 통해 사회복지사는 클라이언트에게 더 나은 지원을 제공하고, 사회적 변화를 이끌어내는 데 기여할 수 있다.

사회복지사 실천법

- 인정하고 수용하라
- 개선의 계획을 세워라
- 진솔한 대화로 소통하라

사회복지 현장에서 상사로부터 잘못을 지적받을 때, 감정조절이 중요하다. 효과적인 피드백 수용과 개선을 위해 반드시 필요하다. 아래는 상사의 지적을 받았을 때 감정조절을 도와줄 수 있는 세 가지 실천법이다.

첫째, 인정하고 수용하라. 사회복지사는 지적을 받았을 때 감정적으로 반응하지 않고 냉정하게 상황을 평가하고 수용해야 한다. 감정이나 분노를 억제하고, 상사의 의도와 지적에 집중해야 한다. 지적을 받은 것은 성장과 발전을 위한 기회이며, 감정적인 반응보다는 건설적인 대응이 필요하다. 수용하는 태도로 조언을 받아들이고 어떻게 개선할지 생각해야 한다.

둘째, 개선의 계획을 세워라. 사회복지사는 상사의 조언에서 유용한 피드백을 추출하고 이를 활용하여 개선의 계획을 수립해야 한다. 조언을 통해 나타난 문제점이나 부족한 부분을 명확히 이해하고, 이를 개선하기 위한 계획을 세우는 것이 중요하다. 이때 감정을 조절하고 자기수용의 태도로 해결책을 찾는 것에 중점을 두어야 한다.

셋째, 진솔한 대화로 소통하라. 사회복지사는 진솔한 대화를 통해 건설적인 방향으로 나아가야 한다. 조언을 한 상사의 입장과 조언을 받아들이는 당사자의 입장에서 솔직한 자신의 느낌과 감정을 소통하는 것이 중요하다. 진솔한 대화는 조직에서 공동의 목표를 찾는 중요한 단서가 된다.

이러한 실천법을 통해 사회복지사는 지적을 받을 때 감정적으로 휩쓸리지 않고, 효과적으로 문제의 개선과 성장이 가능하다. 이는 조직 내에서의 원활한 소통과 협력을 높이고, 업무성과에 효율을 높일 수 있다. 사회복지사는 이러한 태도를 통해 보다 성숙하고 전문적인 역할을 수행할 수 있으며, 클라이언트와 조직 모두에게 긍정적인 영향을 미칠 수 있다.

20. 기다림의 여유를 가져라

"천리 길을 와서 왕을 알현한 것은 내가 하고자 한 것이니, 뜻이 맞지 않으므로 떠나감이 어찌 나의 원하는 바이겠는가. 내 어쩔 수 없어서였다. 내가 사흘을 유숙한 뒤에 주 땅을 떠났으나, 내 마음에 오히려 빠르다고 여겼다. 나는 왕이 행여 고치시기를 바라노니, 왕이 만일 고치신다면 반드시 나를 되돌아오게 했을 것이다." 《맹자, 공손추 하편》

인류의 역사 속에서 지혜롭고 옳은 리더십은 항상 갈망의 대상이 되어 왔다. 그러나 때로는 기대와 현실 간의 차이로 인해 실망과 어두움이 남아 있다. 맹자의 이야기에서는 그러한 갈망과 실망이 고스란히 그려져 있다. 그리하여 사회복지사로서 우리는 어떻게 기대와 실망 사이에서 태도를 취해야 하는지를 고민해야 한다.

맹자는 자신의 원하는 바를 이루기 위해 천리 길을 오며 왕에게 알현했다. 그러나 현실은 그의 기대와는 다르게 전개되었다. 왕의 뜻이 맞지 않다는 것을 깨닫고도 맹자는 고요히 떠나갔다. 이 과정에서 우리는 "기다림의 여유"에 대한 첫 번째 교훈을 얻을 수 있다. 사회복지사로서 우리는 클라이언트와의 상호작용에서도 마찬가지로 기대와 실제가 일치하지 않을 때를 대비할 준비가 필요하다. 예상치 못한 상황에 대처하면서도 여유를 가지고 기다림의 시간을 지속할 수 있어야 한다.

또한, 맹자는 주 땅에서 사흘을 기다렸지만 왕은 그를 부르지 않았다. 이 과정에서 우리는 "기다림의 여유"에 대한 두 번째 교훈을 얻을 수 있다. 사회복지사로서 우리는 클라이언트의 변화와 성장을 기다리는 과정에서 인내와 이해력을 발휘해야 한다. 다른 사람들의 속도와 방식을 존중하면서, 그들이 변화를 찾아가는 데 필요한 시간을 함께 할 수 있어야 한다. 이러한 태도는 클라이언트에게 신뢰감을 주고, 그들이 자신의 속도에 맞추어 변화할 수 있는 환경을 조성하는 데 중요한 역할을 한다.

맹자의 이야기를 통해 우리는 지나치게 급한 기대와 실망의 감정을 조절하고, 인내와 이해력을 갖고 기다림의 여유를 가져야 한다는 교훈을 얻을 수 있다. 사회복지사로서 우리는 클라이언트와의 상호작용에서 이러한 태도를 취하는 것이 중요하다. 또한, 기다림의 여유를 지니면서도 적절한 시기에 적극적으로 개입하여 변화와 성장을 도울 수 있는 전략을 구사해야 한다. 결국, 우리의 역할은 변화의 동반자로서 클라이언트와 함께 걸어가는 것이며, 이러한 접근은 지속적이고 긍정적인 변화를 이끌어낼 수 있다.

사회복지사 실천법

- 인내심을 길러라
- 적극적인 관여를 유지하라
- 심리적 지지를 제공하라

사회복지사로서 클라이언트와의 상호작용에서 기다림은 불가피한 순간이다. 그러나 이 기다림의 시간을 효과적으로 활용하고, 클라이언트의 성장과 변화를 지원하기 위해서는 어떻게 해야 하는가?

첫째, 인내심을 길러라. 기다림은 때로는 예상치 못한 지연과 어려움을 동반한다. 이럴 때 사회복지사로서 우리는 먼저 인내심을 길러야 한다. 클라이언트의 변화는 곧바로 일어나지 않을 수 있고, 그 과정에서는 여러 난관과 장애물이 등장할 수 있다. 인내심을 갖고 기다림의 시간을 클라이언트와 함께 걸어가면서, 그들이 안정하게 성장하고 변화할 수 있도록 지원하는 것이 중요하다.

둘째, 적극적인 관여를 유지하라. 기다림은 수동적인 상태가 아니다. 기다리는 동안에도 사회복지사는 클라이언트와의 관계를 유지하고, 적극적으로 개입하여 지속적인 지원을 제공해야 한다. 클라이언트의 상태와 필요에 따라 다양한 지원 프로그램을 도입하고, 적절한 자원을 찾아 제공함으로써 변화의 과정을 뒷받침하는 것이 필요하다. 이러한 적극적인 관여는 클라이언트에게 지속적인 지지를 제공하고, 변화의 가능성을 높이는 데 중요한 역할을 해야 한다.

셋째, 심리적 지지를 제공하라. 기다림의 여유를 가지면서도 클라이언트에게는 심리적인 지지를 제공하는 것이 필요하다. 그들이 마음의 안정을 유지하고 자신을 이해하는 데 도움이 되는 활동과 대화를 통해 감정적 지지를 제공함으로써, 기다림의 시간을 긍정적이고 유익한 경험으로 만들어야 한다. 심리적 지지는 클라이언트가 자신감을 갖고, 변화의 과정을 긍정적으로 받아들이는 데 큰 도움을 준다.

"기다림의 여유를 가져라"는 주제 아래에서 세 가지 실천법을 통해 사회복지사로서 우리의 역할을 강조한다. 인내심을 길러 변화의 과정을 기다리는 동안에도 적극적으로 관여하며, 클라이언트에게는 심리적인 지지를 제공함으로써, 우리는 클라이언트와 함께하는 여정에서 긍정적이고 지속적인 성장을 이끌어낼 수 있다. 이러한 실천법을 바탕으로 사회복지사는 클라이언트와의 상호작용에서 더 나은 결과를 창출할 수 있다.

21. 본보기가 되어라

"위에서 (무엇을) 좋아함이 있으면 아래 사람들은 반드시 그보다 더 심하게 좋아하게 된다. 군자의 덕은 바람이요, 소인의 덕은 풀이니, 풀 위에 바람이 가해지면 풀은 반드시 그리로 기울기 마련이다."
《맹자, 등문공 상편》

사회복지 분야에서 리더가 조직원의 본보기가 되기 위한 원칙은 맹자의 〈등문공장구 상편〉에서 언급된 인용구와도 뜻을 같이한다. 이는 조직 내에서 리더가 보여주는 태도와 행동이 조직원들에게 다양한 영향을 미친다는 것을 강조한다.

첫째, 리더의 태도와 영향력이다. 리더는 조직 내에서 가장 높은 영향력을 지니고 있기 때문에 그의 태도와 행동은 구성원들에게 직접적인 영향을 미친다. 평소에 조직의 리더가 긍정적이고 도덕적인 태도를 가지고 있다면, 조직의 구성원들은 그를 본보기로 삼아 영향을 받게 된다. 특히 사회복지 분야에서는 도덕적 책임감이 강하고 공감능력이 뛰어난 리더가 필요하다. 이러한 리더는 자신의 행동과 태도를 통해 조직원들에게 도덕적 기준을 제시하고, 이들을 격려하여 더욱 윤리적이고 효과적으로 업무를 수행하도록 돕는다.

둘째, 조직 문화와 리더의 역할이다. 리더의 태도와 행동은 조직 문화를 형성하고 유지하는 데 중요한 역할을 한다. 리더가 사회적 가치와 도덕의 원칙을 실천한다면, 조직 내에서 그와 일치하는 가치 체계가 형성되고, 구성원들은 이를 본보기로 삼아 행동하게 된다. 특히 사회복지 분야에서는 도덕적인 리더십이 필수적인데, 이는 조직 내에서 본보기가 되어야 하는 이유를 강조한다. 도덕적 리더십을 발휘하는 리더는 조직 내에서 신뢰와 존경을 얻으며, 구성원들에게 높은 도덕적 기준을 유지하도록 독려한다.

셋째, 소통과 영향력이다. 리더는 소통을 통해 구성원들에게 영향력을 미친다. 긍정적인 태도와 행동을 보이는 리더는 소통을 통해 자신의 가치관과 이념을 효과적으로 전달할 수 있으며, 이는 아래의 구성원들에게 본보기가 되어야 하는 이유가 된다. 사회복지 분야에서는 이러한 소통 능력이 보다 효과적인 도움과 지원을 제공하는 데에 기여한다. 리더는 구성원들과의 소통을 통해 그들의 의견을 경청하고, 이를 바탕으로 조직의 목표와 전략을 조정하며, 구성원들이 자신의 역할을 충실히 수행할 수 있도록 지원한다.

리더는 조직 내에서 좋은 본보기가 되어야 한다. 구성원들에게 올바른 가치관과 행동양식을 제시함으로써 조직의 도덕성을 높일 수 있으며, 소통과 영향력을 통해 조직 문화를 만들고 유지할 수 있다. 특히 사회복지 분야에서는 리더의 태도가 조직의 사회적 책임과 도덕성을 결정짓는 중요한 역할을 한다. 따라서 리더는 군자의 덕과 같이 조직 내에서 본보기가 되어, 아랫사람들이 그 덕을 따라오게끔 하는 데 주요한 역할을 수행한다.

사회복지사 실천법

- 공감의 언어를 사용하라
- 열린 마음으로 명확하게 소통하라
- 수용하는 태도를 가져라

공감의 언어를 사용하라. 좋은 본보기가 되기 위해 리더는 조직원들과의 소통에서 상대를 이해하고 공감하는 언어를 사용해야 한다. 조직원들의 의견과 감정을 듣고 이해하는 것은 소통의 핵심이다. 리더는 존중과 신뢰를 기반으로 하는 언어를 사용하여 조직원들과의 관계를 강화하고, 그들이 자신의 의견이 중요하게 다뤄지고 있다고 느끼게 해야 한다. 이는 사회복지 분야에서 특히 중요한데, 상황에 민감하게 대응하고 공감 능력을 통해 신뢰를 쌓아가는 것이 필수다.

열린 마음으로 명확하게 소통하라. 리더는 명확하고 개방적인 의사소통 스타일을 채택하여 조직원들과의 소통을 원활하게 해야 한다. 혼란스럽거나 모호한 언어는 오해와 혼란을 초래할 수 있으므로, 리더는 목적과 의도를 분명히 전달하는 데 주의해야 한다. 또한 개방적인 대화를 촉진하여 조직원들이 자유롭게 의견을 나눌 수 있는 환경을 조성해야 한다. 이는 사회복지 분야에서 협력과 소통이 중요한 이유로 더욱 강조되는 부분이다.

수용하는 태도를 가져라. 리더는 소통에서 피드백을 주고받는 데 있어서 개방적이고 수용적인 태도를 가져야 한다. 구성원들의 의견과 제안에 귀 기울이며, 그들의 의견을 존중하고 수용하는 태도는 조직 내에서 긍정적인 관계를 형성하는 데 도움이 되는 것이다. 동시에 리더도 자신의 피드백을 명확하게 전달하고, 구성원들이 개선을 위해 노력할 수 있도록 지원해야 한다. 피드백은 조직 내의 성장과 발전을 이끌어내는 데 중요한 역할을 하는데, 이는 사회복지 분야에서 지속적인 효과적인 도움과 지원을 제공하는 데 필수적이다.

이와 같이, 리더는 공감의 언어를 사용하고, 열린 마음으로 명확하게 소통하며, 수용하는 태도를 가져야 한다. 이러한 접근은 조직 내에서 긍정적인 분위기를 조성하고, 구성원들이 자신의 역할을 충실히 수행할 수 있도록 도와주워야 한다. 사회복지 분야에서는 특히 이러한 리더십이 중요하다. 리더의 태도와 행동이 조직원들에게 직접적인 영향을 미치기 때문이다. 따라서 리더는 구성원들에게 좋은 본보기가 되어야 하며, 이를 통해 조직의 도덕성을 높이고, 협력과 소통을 강화할 수 있다.

22. 중용을 실천하라

"맹자는 '옛날에 신하가 되지 않으면 임금을 알현하지 않는다'고 하였다. 단간목은 (임금을 만나보려 하자) 담을 넘어 피해버렸고, (…) 증자는 '(공손한 척하기 위해) 어깨를 움츠리고 아첨하여 웃는 것은 한 여름에 밭에서 일하는 자보다 더 힘들다'고 하였다." 《맹자, 등문공 하편》

클라이언트와의 중용. 클라이언트와의 상호작용에서 사회복지사는 지나치게 도와주거나 지나치게 무시하는 것이 아닌, 클라이언트의 상황과 요구에 맞게 적절한 지원을 제공해야 한다. 클라이언트의 자립과 성공을 돕기 위해 적절한 균형을 유지하며, 내담자가 자신의 능력을 발휘하고 문제를 스스로 해결할 수 있도록 돕는 것이 중요하다. 지나치게 개입하여 클라이언트의 자립성을 해치지 않도록 주의해야 하며, 동시에 그들의 필요와 요구를 무시하지 않고 적절한 지원을 제공하는 것이 필요하다. 이를 통해 클라이언트는 자신의 문제를 스스로 해결할 수 있는 능력을 키우고, 더 나은 삶을 살아갈 수 있는 힘을 얻을 수 있다.

조직원으로서의 중용. 사회복지사로서 조직 내에서는 동료와의 협력과 조화를 위해 중용의 태도를 유지해야 한다. 지나치게 아부하거나 경쟁심을 부추기는 것이 아닌, 상호 존중과 소통을 통해 조직 내의 긍정적인 분위기를 조성하고 협력을 이끌어내는 역할이 필요하다. 중요한 결정이나 일이 발생할 때에도 다양한 의견을 수렴하고 존중하는 자세를 유지하여 조직의 효율성을 높이는 것이 중요하다. 이를 통해 조직 내에서 건설적이고 협력적인 분위기를 형성하고, 모든 구성원이 자신의 역할을 충실히 수행할 수 있도록 지원하는 것이 필요하다. 조직 내에서의 중용은 팀워크를 강화하고, 전체적인 업무 효율성을 높이는 데 중요한 역할을 한다.

사회와의 중용. 사회복지사는 외부 사회와도 중용의 태도를 유지해야 한다. 다양한 이해관계자와 소통에서 각자의 역할과 기능을 존중하며 상호 협력해야 한다. 사회문제에 대한 효과적인 대응을 위해 다양한 이해관계자들과 협업하고 소통하면서, 사회적 변화에 기여하는 역할을 수행해야 한다. 이는 사회복지사가 사회 내에서 긍정적인 변화를 이끌어내고, 더 나은 사회를 만드는 데 중요한 역할을 한다. 사회와의 중용을 통해 사회복지사는 다양한 목소리를 듣고, 그들의 의견을 반영하여 보다 포괄적이고 효과적인 해결책을 모색할 수 있다.

중용의 태도는 사회복지사로서 매우 중요한 가치이다. 클라이언트와의 상호작용, 조직 내 협력, 외부 사회와의 관계에서 중용의 태도를 유지하면서, 상황과 요구에 맞게 적절한 지원을 제공하고 협력해야 한다.

사회복지사 실천법

- 개별자료를 수집하라
- 이해하고 공감하라
- 함께 문제를 해결하라

첫째, 개별자료를 수집하라. 클라이언트의 무리한 요구에 대응할 때, 중용의 태도를 유지하면서도 현실적이고 구체적인 대안을 제시할 수 있다. 무리한 요구가 나오면, 사회복지사는 클라이언트와의 개인화된 평가를 통해 그 요구가 무엇에 기인하는지 이해하고, 클라이언트의 우선순위와 목표를 함께 설정해야 한다. 개인화된 접근은 클라이언트가 스스로 상황을 인지하고 자기 결정에 적극적으로 참여하도록 돕는다. 이를 통해 클라이언트는 자신의 상황을 더 잘 이해하고, 현실적인 해결책을 찾는 데 도움이 된다.

둘째, 이해하고 공감하라. 무리한 요구는 종종 내담자의 감정과 연관되어 있다. 중용의 태도로 소통하기 위해, 사회복지사는 클라이언트의 감정을 이해하고 공감을 표현하는 데 주의를 기울여야 한다. 클라이언트가 무리한 요구를 할 경우 공감한다면, 클라이언트 스스로 이해받고 인정받았다는 생각을 할 수 있다. 이해와 공감을 기반한 소통은 사회복지사와 클라이언트 간 신뢰를 쌓을 수 있다. 이러한 신뢰는 클라이언트가 자신의 요구와 문제를 더 잘 표현하고, 사회복지사가 이를 효과적으로 지원하는 데 큰 도움이 된다.

셋째, 함께 문제를 해결하라. 무리한 요구에 대응할 때, 사회복지사는 클라이언트와 협력해서 문제를 해결해야 한다. 클라이언트에게 자기 결정과 자기 책임의 중요함을 말하고, 현실에서 문제 해결이 가능한 방법을 단계적으로 제시하고 계획하는 것이 중요하다. 사회복지사가 클라이언트를 지원하고 도와주는 것 이상으로 내담자 스스로 문제 해결의 책임을 느끼는 중용의 태도는 클라이언트의 자립을 도울 수 있다. 이는 클라이언트가 자신의 문제를 해결하는 데 있어 주체적인 역할을 하게 하고, 더 나은 자립과 성공을 이루도록 하는 데 큰 도움이 된다.

이와 같이, 사회복지사는 클라이언트의 무리한 요구에 대응할 때 중용의 태도를 유지하면서도 현실적이고 구체적인 대안을 제시해야 한다. 개별 자료를 수집하여 클라이언트의 상황을 정확히 파악하고, 이해와 공감을 바탕으로 신뢰를 쌓으며, 함께 문제를 해결하는 접근을 통해 클라이언트를 효과적으로 지원할 수 있다. 이러한 접근은 사회복지사가 클라이언트의 자립과 성공을 돕는 데 중요한 역할을 한다.

23. 기다림의 여유를 가져라

"군주가 되고자 한다면 군주의 도리를 다할 것이요, 신하가 되고자 한다면 신하의 도리를 다해야 한다. 두 가지를 모두 요임금과 순임금을 본받을 뿐이다." 《맹자, 이루 상편》

사회복지사는 맹자가 말한 군주와 신하의 도리와 마찬가지로, 고결한 사명을 수행하는 동시에 자기본분을 지키며 미래의 세대에 올바른 본보기가 되어야 한다.

첫째, 자기관리와 휴식이다. 사회복지사로서의 업무는 종종 감정적으로 힘들고 복잡한 상황을 다루게 된다. 이에 자기 본분을 지키기 위해서는 자기관리와 휴식이 중요한 것이다. 맹자의 도리를 반영하여, 선배 사회복지사들이 어떻게 스트레스를 관리하고 휴식을 취하며 자기 자신을 돌보았는지를 배우고 모방하는 것이 필요하다. 각자의 방식으로 효과적인 자기관리 방법을 찾아내고, 일정한 휴식을 유지하여 업무에 임하는 자세가 자기본분을 보여준다. 이를 통해 사회복지사는 지속적으로 높은 수준의 서비스를 제공하고, 감정적 소진을 방지할 수 있다.

둘째, 윤리적 실천이다. 자기본분은 사회복지사로서 윤리적인 행동을 포함한다. 선배 사회복지사들이 어떻게 윤리적인 결정을 내리고, 수용자의 권리를 존중하는지를 학습하고 모방해야 한다. 정직하고 도덕적인 행동을 통해, 사회복지사로서의 도리를 완수하는 길을 선택하는 것이 중요하다. 윤리적인 실천은 자기본분을 지키면서도 미래의 사회복지사로 성장하는 핵심 요소이다. 사회복지사는 항상 높은 윤리적 기준을 유지하며, 수용자의 권리와 존엄성을 보호하는 데 최선을 다해야 한다.

셋째, 전문성 향상과 협력이다. 자기본분을 유지하려면 계속해서 전문성을 향상시키는 노력이 필요하다. 선배 사회복지사들이 어떻게 지속적인 학습과 협력을 추구했는지를 배우고, 이를 본받아 자신의 경험과 지식을 끊임없이 증진시켜야 한다. 동시에 동료들과의 협력을 강화하여, 팀의 일원으로서 상호 지원하고 나아가 사회적 문제에 대한 효과적인 해결책을 찾는 데 기여하는 것이 자기본분을 향상시키는 길이다. 이는 사회복지사가 지속적으로 성장하고 발전하며, 클라이언트에게 더 나은 지원을 제공할 수 있게 한다.

자기본분은 사회복지사로서의 도리를 지키는 기반이 된다. 좋은 실천 모델의 선배 사회복지사들의 경험과 행동을 참고하여 자기 역할에 최선을 다하는 사람이 진정한 사회복지사의 면모를 갖출 수 있다. 이를 통해 사회복지사는 더 나은 서비스를 제공하고, 사회에 긍정적인 영향을 미치는 데 기여할 수 있다. 사회복지사는 항상 자기본분을 지키며, 클라이언트와 사회 전체에 긍정적인 변화를 이끌어내기 위해 노력해야 한다.

사회복지사 실천법

- 휴식을 계획하라
- 좋아하는 활동을 하라
- 자기계발에 힘써라

첫째, 휴식을 계획하라. 자기관리와 휴식의 중요성을 실천하기 위해선, 일정한 휴식의 계획을 수립하는 것이 중요하다. 사회복지사들은 업무와 개인 생활의 균형을 맞추기 위해 주기적으로 휴식을 취하고, 이를 통해 정신적인 피로를 완화하고 새로운 에너지를 얻어야 한다. 나만의 휴식 일정을 만들어 업무와 생활의 균형을 찾고, 쉼의 시간을 확보하는 것은 더 나은 업무 성과를 이룰 수 있다. 계획된 휴식은 단순한 휴식 이상의 의미를 가지며, 지속 가능한 업무 수행을 가능하게 하는 중요한 요소다.

둘째, 좋아하는 활동을 하라. 자기관리는 업무의 스트레스를 효과적으로 관리하는 것도 포함한다. 사회복지사는 다양한 활동을 통해 업무 스트레스를 해소할 수 있다. 운동, 예술, 명상 등 자신에게 맞는 스트레스 해소 방법을 찾아 실천하는 것은 감정노동을 완화하고, 마음을 편안하게 한다. 좋아하는 활동을 통해 얻는 즐거움과 만족감은 일상에서의 스트레스를 줄이고, 보다 건강한 정신 상태를 유지하는 데 중요한 역할을 한다.

셋째, 자기계발에 힘써라. 휴식 시간을 효과적으로 활용하여 자기계발에 투자하는 것도 중요한 실천법 중 하나다. 독서와 온라인 강의 수강, 또는 업무와 연관된 세미나 참석 등을 통해 지속적인 학습과 전문성 향상에 힘써야 한다. 휴식 시간을 자기계발에 활용하면, 업무에 대한 열정과 전문성을 키우고 개인적인 성장을 이룰 수 있다. 자기계발은 사회복지사로서의 역량을 강화하고, 클라이언트에게 더 나은 서비스를 제공하는 데 중요한 역할을 한다.

자기관리와 휴식의 중요성은 사회복지사로서의 자기본분을 강화하고 지속적인 업무 수행을 지원하는 중요한 부분이다. 일정한 휴식을 계획하고, 스트레스 해소에 적당한 활동을 찾고, 자기계발에 투자하는 실천법은 사회복지사로서 더 나은 업무 효율성과 삶의 만족도를 느끼게 한다. 사회복지사는 이러한 실천법을 통해 자신의 건강과 행복을 유지하면서도 클라이언트에게 최상의 지원을 제공할 수 있다.

따라서, 사회복지사는 일정한 휴식을 계획하고, 좋아하는 활동을 통해 스트레스를 해소하며, 자기계발에 힘쓰는 것이 중요하다. 이는 사회복지사가 자신의 역할을 충실히 수행하고, 클라이언트와 사회 전체에 긍정적인 영향을 미치는 데 필수적인 요소다. 자기관리와 휴식을 통한 균형 잡힌 생활은 사회복지사가 지속적으로 높은 수준의 서비스를 제공하고, 자신의 건강과 행복을 유지하는 데 중요한 역할을 한다.

24. 두루 살펴라

"사람을 사랑해도 친해지지 않거든 그 인(仁)을 돌이켜 보고, 사람을 다스려도 다스려지지 않거든 그 지(智)를 돌이켜 보고, 사람에게 예(禮)를 해도 보답하지 않거든 그 경(敬)을 돌이켜 보아야 한다. 행하고서 얻지 못함이 있거든 모두 자신에게 돌이켜 찾아야 하니, 그 몸이 바루어지면 천하가 돌아오는 것이다." 《맹자, 이루 상편》

맹자는 "사람을 사랑해도 친해지지 않거든 그 인(仁)을 돌이켜 보고"에서 인(仁)은 인간애, 사랑, 인류애를 나타낸다. 우리는 사랑으로부터 친밀함을 얻을 수 있다. 이는 사회복지에서 봉사와 상호돕기를 통해 실현된다. 다양한 상황을 두루 살피는 것은 우리에게 상대방을 이해하고 존중하는 태도를 갖도록 한다. 사랑은 우리 사회를 더 따뜻하게 만들며, 불평등과 배타성을 줄이는 데 기여한다.

"사람을 다스려도 다스려지지 않거든 그 지(智)를 돌이켜 보고"에서 지(智)는 지혜를 나타낸다. 사회복지 실천법은 지혜를 통해 문제에 접근하고, 현명한 방법으로 사회적인 도전에 대응하도록 권고한다. 우리는 문제를 깊이 이해하고 지혜로운 방법으로 해결함으로써 사회적 불평등과 문제에 대한 다양한 해결책을 찾을 수 있다. 지혜는 우리가 직면한 도전들을 효과적으로 극복하고, 보다 공정하고 평등한 사회를 만드는 데 필수적인 요소다.

“사람에게 예(禮)를 해도 보답하지 않거든 그 경(敬)을 돌이켜 보아야 한다.” 이 구절의 예(禮)는 예의를 나타내며, 경(敬)은 경의를 의미하는 것이다. ‘두루 살펴라’는 예의와 경의를 중시한다. 예의를 통해 우리는 상대방을 존중하고 소통하는 방법을 배우며, 경의는 상대방을 존경하고 그들의 가치를 인정하는 데에 기여한다. 사회복지 실천법은 이러한 예의와 경의를 바탕으로 한 존중과 협력을 통해 사회를 더욱 안전하고 공정하게 만들어 갈 것을 강조한다. 예의와 경의를 실천함으로써 우리는 서로를 더 깊이 이해하고, 신뢰와 협력을 기반으로 한 사회를 만들어 나갈 수 있다.

“행하고서 얻지 못함이 있거든 모두 자신에게 돌이켜 찾아야 하니, 그 몸이 바루어지면 천하가 돌아오는 것이다.” 여기서는 행동의 결과가 기대치와 다를 때, 그 원인을 되돌아보고 반성해야 한다는 말이 나온다. ‘두루 살펴라’는 우리가 행동의 결과를 평가하고, 필요하다면 자기성찰을 통해 개선하도록 유도한다. 우리가 자신에게 돌아보고 나아가야 할 길을 찾는다면, 사회적 책임을 다하고 더 나은 세상을 만들 수 있다. 자기성찰은 우리의 행동과 결정이 타인에게 미치는 영향을 깊이 생각하게 하고, 더 나은 선택을 할 수 있게 도와준다.

사회복지 현장에서 사람과 환경을 두루 살피는 것은 사랑, 지혜, 예의, 그리고 경의라는 맹자의 가르침을 통해 우리에게 제시된 원칙과 가치를 강조한다.

사회복지사 실천법

- 비언어적 신호를 관찰하라
- 경청하고 질문하라
- 공감능력을 키워라

첫째, 비언어적 신호를 관찰하라. 말이 아닌 비언어적 신호를 주의 깊게 관찰하는 것은 상대방의 감정을 파악하는 데 큰 도움이 된다. 표정, 몸짓, 동작, 목소리의 톤 등을 주의 깊게 살펴봄으로써 상대방이 전달하려는 감정을 감지할 수 있다. 예를 들어, 눈빛이 어두워지거나 어떤 자세의 변화가 일어날 때, 그 사람의 감정 상태를 미세하게 파악할 수 있다. 이러한 비언어적 신호를 꼼꼼히 관찰하면 상대방의 진실된 감정을 더 정확하게 이해할 수 있다. 이는 상대방과의 소통을 보다 깊이 있게 만들어주며, 신뢰 관계를 형성하는 데 중요한 역할을 한다.

둘째, 경청하고 질문하라. 상대방의 감정을 파악하기 위해서는 경청과 질문력이 필요하다. 상대방의 이야기에 주의 깊게 귀를 기울이고, 그들이 전하려는 메시지를 정확하게 이해하는 것이 중요하다. 열린 마음과 관심을 가지고 상대방의 이야기를 듣는 것이 감정을 파악하는 기본이다. 또한, 질문을 통해 상대방이 더 자세히 이야기할 수 있도록 유도하면, 그들의 감정을 더 잘 이해할 수 있다. 예를 들어, "어떤 점이 당신에게 가장 어려운가요?" 또는 "그 상황에서 어떤 감정을 느꼈나요?"와 같은 질문을 통해 상대방의 감정을 깊이 이해할 수 있다.

셋째, 공감능력을 키워라. 감정을 파악하는 데 있어서 공감은 핵심적인 역할을 한다. 다른 사람의 감정에 공감하고 그 감정을 이해한다는 것은 상대방과의 강한 연결을 형성하고, 상황을 더 정확하게 파악하는 데 도움이 된다. 공감은 상대방이 겪는 감정을 완전히 받아들이고 이해하는 것을 의미하며, 그 결과로 상대방은 더 열린 마음으로 자신의 감정을 표현할 수 있다. 상대방의 감정을 공감을 통해 느끼고 이해함으로써, 그들에게 지지와 안정감을 제공할 수 있다. 이는 상대방이 자신의 감정을 솔직하게 표현하도록 돕고, 서로 간의 신뢰를 더욱 강화하는 데 기여한다.

비언어적 신호를 관찰하고, 경청하며 질문하고, 공감능력을 키우는 것은 상대방의 감정을 파악하는 데 있어서 중요한 실천법이다. 이는 사회복지사로서 클라이언트와의 관계를 강화하고, 그들의 감정을 이해하고 지원하는 데 필수적인 요소다. 이러한 실천법을 통해 사회복지사는 클라이언트와의 신뢰 관계를 형성하고, 보다 효과적인 지원을 제공할 수 있다. 감정을 정확하게 파악하고 이에 적절하게 대응함으로써, 사회복지사는 클라이언트의 삶에 긍정적인 변화를 이끌어낼 수 있다.

25. 기본에 충실하라

"천하의 근본은 나라에 있고, 나라의 근본은 집에 있고, 집의 근본은 자신에게 있는 것이다." 《맹자, 이루 상편》

사회복지 현장에서의 업무는 국가의 근본을 이루는 중요한 부분으로 간주될 수 있다. 맹자의 말처럼 "천하의 근본은 나라에 있고, 나라의 근본은 집에 있고, 집의 근본은 자신에게 있는 것"처럼, 사회복지사의 업무 또한 사회 전체의 기초를 형성하는 데 기여한다. 사회복지사는 사회복지 현장에서 기본에 충실하고 성실한 태도를 유지해야 한다.

사회복지 현장에서의 기본은 개인과 가족의 필요를 충족시켜야 한다. 빈곤, 어려움, 불평등 등 다양한 사회문제에 직면한 개인과 가족들에게 지원의 손길을 내밀어야 한다. 기본적인 의료와 교육, 생계지원 등의 서비스를 제공하여 사회적 안전망을 구축하는 것이 사회복지사의 역할이다. 이를 통해 사회복지사는 개인과 가족이 보다 안정되고 행복한 삶을 영위할 수 있도록 돕는다. 이러한 지원은 사회 전체의 안정과 발전에 기여하는 중요한 역할을 한다.

나라의 근본이 집에 있다는 말처럼, 사회복지 현장에서의 기본은 개인과 가족에 대한 진솔한 이해와 소통에서 시작한다. 신뢰를 기반으로 한 상호작용은 효과적인 지원을 가능하게 하며, 이는 현장에서의 성공적인 사회복지 서비스에 필수 요소다. 인간관계에서 충실함은 신뢰와 협력을 높이고, 더 나은 결과를 도출할 수 있다. 사회복지사는 클라이언트와의 상호작용에서 항상 진정성을 가지고 접근해야 하며, 그들의 필요와 문제를 깊이 이해하고 적절한 해결책을 제시해야 한다.

집의 근본은 자신에게 있다는 원칙처럼, 사회복지사는 자기 자신에게도 충실해야 한다. 전문성을 향상시키고 지속적인 학습을 통해 업무에 대한 전문성을 갖추는 것은 기본이다. 또한, 업무에 대한 열정과 책임감을 가지고, 어려운 상황에서도 꾸준히 성장하는 태도는 전문가로서의 기본이다. 사회복지사는 자신의 역량을 지속적으로 개발하고, 새로운 지식과 기술을 습득하여 클라이언트에게 더 나은 서비스를 제공할 수 있어야 한다. 자기 발전을 통해 사회복지사는 더욱 효과적이고 전문적인 지원을 제공할 수 있다.

사회복지 현장에서의 성실한 업무 태도는 개인과 가족, 그리고 사회 전체에 긍정적인 영향을 미치며, 더 나은 사회복지 서비스 제공에 기여한다. 사회복지사로서 작은 일에도 최선을 다하는 성실한 태도는 사회복지 현장에서의 사명감을 키우는 태도다. 성실한 태도는 사회복지사가 클라이언트와의 관계에서 신뢰를 쌓고, 그들의 문제를 효과적으로 해결하는 데 중요한 역할을 한다.

사회복지사 실천법

- 업무 계획을 수립하라.
- 여가 활동을 즐겨라.
- 좋은 관계를 유지하라

첫째, 업무 계획을 수립하라. 사회복지사는 업무에 충실하기 위해 균형 잡힌 업무 계획을 수립해야 한다. 각 업무의 우선순위를 명확히 하고, 업무의 양과 난이도를 고려하여 현실적인 일정을 설정하는 것이 중요하다. 효과적인 시간 관리를 통해 업무의 질과 양을 균형 있게 유지할 수 있다. 계획을 세우는 과정에서 예상치 못한 상황에도 대처할 수 있도록 유연성을 갖추는 것도 필요하다. 이를 통해 사회복지사는 더 효율적이고 효과적으로 업무를 수행할 수 있으며, 클라이언트에게 보다 나은 서비스를 제공할 수 있다.

둘째, 여가 활동을 즐겨라. 성실한 사회복지사는 자기 자신을 돌보는 것을 소홀히 하지 않아야 한다. 정기적인 여가 활동을 통해 스트레스를 해소하고 신체적, 정신적 휴식을 취하는 것이 필요하다. 취미, 운동, 독서 등 자기개발에 기여하는 활동을 통해 업무 외적인 측면에서도 만족감을 느끼면서 자신에게 충실한 삶을 유지할 수 있다. 여가 활동은 단순히 시간을 보내는 것이 아니라, 사회복지사의 전반적인 건강과 웰빙을 증진시키는 중요한 요소다. 이를 통해 사회복지사는 업무에서의 스트레스를 효과적으로 관리하고, 더 나은 퍼포먼스를 발휘할 수 있다.

셋째, 좋은 관계를 유지하라. 자신에게 충실하려면 건강한 대인 관계를 유지해야 한다. 가족, 친구, 동료와의 소통을 통해 서로에게 지지를 받고 고민을 나누는 것은 사회복지사로서의 업무 스트레스를 완화하는 데 도움이 된다. 동료들과의 협력과 팀워크를 키우면 사회복지사로서의 역량을 키울 수 있다. 좋은 관계는 업무의 효율성을 높이고, 어려운 상황에서도 함께 해결책을 찾아 나갈 수 있는 힘이 된다. 또한, 긍정적인 대인 관계는 사회복지사의 정신적 안정을 도모하며, 클라이언트와의 관계에서도 더 나은 상호작용을 가능하게 한다.

사회복지사는 업무계획을 철저히 수립하고, 정기적인 여가 활동을 통해 스트레스를 관리하며, 건강한 대인 관계를 유지하는 것이 중요하다. 이러한 실천을 통해 사회복지사는 자신의 역할을 충실히 수행하고, 클라이언트에게 보다 나은 지원을 제공한다. 사회복지사는 자신의 건강과 웰빙을 우선시하면서도, 업무에 대한 열정과 책임감을 가지고 성실히 임해야 한다. 이는 사회복지사가 지속적으로 성장하고 발전하며, 사회 전체에 긍정적인 영향을 미치는 데 중요한 역할을 한다.

26. 결과에 연연하지 말라

"예상하지 못한 칭찬을 받는 일도 있고, 완전하기를 구하다가 비방을 받는 일도 있다." 《맹자, 이루 상편》

사회복지사로서 예상치 못한 칭찬과 뜻하지 않은 비방을 마주할 때, 맹자의 말에서 지혜를 얻을 수 있다. 예상하지 못한 칭찬은 자신의 노고와 헌신이 상대방에게 얼마나 큰 영향을 끼칠 수 있는지를 보여주는 순간이다. 그러나 완벽하려는 욕구로 비방을 받을 때에는 일희일비하지 않고, 자신에게 맡겨진 직무에 최선을 다하는 태도가 필요하다.

사회복지사의 역할은 클라이언트를 지원하고 돕는 것이다. 사회복지현장에서 업무를 진행하다 보면 자신의 노력에 비해 과도한 칭찬을 받을 수 있다. 이런 순간에는 겸손한 자세로 칭찬을 받아들이고, 더 나은 지원을 위해 노력하는 마음가짐이 필요하다. 칭찬은 성취의 증거이며, 이를 통해 더 큰 책임감과 동기부여를 얻을 수 있다. 하지만 칭찬에만 집착하지 않고, 지속적인 자기계발과 성장을 추구하는 것이 중요하다.

반면에 완벽함을 추구하다가는 다양한 어려움과 비판을 마주할 수도 있다. 이런 경우 맹자의 가르침처럼, 일희일비하지 않고 헌신적으로 자신에게 주어진 임무를 수행해야 한다. 완벽함은 어렵기도 하고, 현실적으로 불가능한 상황일 수 있다. 단, 헌신하는 마음으로 노력한다면 개선되는 부분은 언제나 존재한다. 비판을 받을 때에는 이를 성찰의 기회로 삼고, 자신의 업무 방식을 점검하고 개선하는 노력이 필요하다. 비판은 성장을 위한 귀중한 피드백이며, 이를 통해 더 나은 사회복지사가 된다.

사회복지사로서의 성장은 칭찬과 비판을 두루 받아들이고 성찰하는 태도를 가져야 가능하다. 칭찬은 자신이 올바른 방향으로 나아가고 있음을 확인하는 기회이며, 비판은 자신의 부족함을 인식하고 개선할 수 있는 기회를 제공한다. 이러한 태도를 통해 사회복지사는 더욱 성숙하고 전문적인 역할을 수행할 수 있다.

사회복지사는 칭찬과 비판에 일희일비하지 않고, 꾸준히 자기 역할을 충실히 수행해야 한다. 예상치 못한 칭찬은 자신의 노력을 인정받는 기회로 삼고, 더욱 겸손하고 성실하게 업무에 임해야 한다. 또한, 비방과 비판은 자신을 돌아보고 성찰하는 기회로 삼아야 한다. 이러한 태도를 통해 사회복지사는 클라이언트에게 더 나은 지원을 제공하고, 사회 전체에 긍정적인 영향을 미칠 수 있다.

사회복지사 실천법

- 겸손하라
- 기회로 삼아라
- 목표를 설정하라

첫째, 겸손하라. 타인으로부터 비판을 받을 경우 겸손한 마음으로 자신을 돌아보아야 한다. 모든 일에 완벽한 선택과 결과는 불가능하다. 자신의 상황을 인식하고 겸손한 자세로 타인의 목소리를 수용하고 성장의 기회로 삼아야 한다. 비판을 받아들이는 것은 자신의 부족함을 인정하는 용기와 함께, 더 나은 방향으로 나아가기 위한 첫걸음이다. 겸손한 마음가짐은 사회복지사로서의 성장을 도모하고, 클라이언트에게 더 나은 서비스를 제공할 수 있도록 돕는다.

둘째, 기회로 삼아라. 타인의 비판을 학습의 기회로 삼고 수용해야 한다. 비판의 내용을 분석하여 어떤 부분이 부족했는지 파악하고 개선하는 데 노력해야 한다. 이러한 과정을 통해 자신의 역량을 키우고, 다음에 비슷한 상황에서 더 나은 선택을 할 수 있다. 비판을 긍정적으로 받아들이고, 이를 통해 자신의 한계를 넘어설 수 있는 기회를 발견하는 것이 중요하다. 비판은 성장을 위한 소중한 피드백이며, 이를 통해 사회복지사는 더욱 전문적이고 효과적인 지원을 제공할 수 있다.

셋째, 목표를 설정하라. 자신의 내적 동기부여를 명확하게 인식하고, 이를 통해 지속적인 목표를 설정하는 것이 마음을 다스리는 데 도움이 된다. 자신이 선택한 일에 대한 목적과 가치를 명확히 알면, 일시적인 비판에 휩쓸리지 않고 꾸준히 노력할 수 있다. 목표에 대한 열정은 헌신과 비판에 마음이 흔들리지 않도록 돕는다. 명확한 목표는 사회복지사의 업무에 대한 집중력과 열정을 유지하게 하며, 장기적인 성장을 가능하다. 목표를 설정하고 이를 이루기 위해 끊임없이 노력하는 과정에서 사회복지사는 자신의 잠재력을 최대한 발휘할 수 있다.

사회복지사는 겸손하게 비판을 수용하고, 이를 학습의 기회로 삼아 자신의 역량을 키우며, 명확한 목표를 설정하여 지속적으로 성장해야 한다. 이러한 접근은 사회복지사가 클라이언트와 사회 전체에 긍정적인 영향을 미치고, 더 나은 사회복지 서비스를 제공하는 데 중요한 역할을 한다. 사회복지사는 비판을 통해 배우고, 자신의 목표를 향해 끊임없이 나아가며, 겸손한 자세로 자신의 역할을 충실히 수행해야 한다.

27. 뜻을 같이하라

"나이가 많고 적음을 따지지 말고, 귀천을 따지지 말고, 그 사람의 형제를 따지지 말고, 벗을 삼아야 한다. 벗한다는 것은 그 사람의 덕을 벗하는 것이니, 이것 저것 따져서는 안 된다." 《맹자, 만장 하편》

사회복지사의 역할은 극히 복잡하고 다양한 인간관계 속에서 효과적으로 봉사한다. 맹자가 말한 것처럼 나이, 귀천, 형제 관계를 따지지 않고, 벗을 삼아야 한다는 말은 이러한 복잡한 환경에서 사회복지사의 태도와 실천 방법에 대한 중요한 통찰을 제공한다.

사회복지사는 나이, 출신, 가족 관계 등과 같은 대상의 개인적 특성을 토대로 차별적인 태도를 취해서는 안 된다. 사람을 대할 때 존재로서의 가치에 초점을 맞춰야 한다. 맹자의 가르침은 관계 속에서 차별하지 않는 마음으로 사람을 대하는 태도의 중요성을 말한다. 사회복지사는 클라이언트를 대할 때 그들의 배경이나 사회적 지위를 넘어서 인간으로서 존엄성을 존중해야 한다. 이러한 태도는 클라이언트에게 진정한 관심과 지원을 제공하는 데 필수적이다.

벗을 삼는다는 것은 상대방을 이해하고 배려하는 것을 의미한다. 사회복지사는 도움을 필요로 하는 개인 또는 집단과의 관계에서 서로를 벗으로 여겨야 한다. 이는 상호 간의 신뢰와 이해를 촉진하며, 봉사 활동의 성과를 향상시키는 중요한 요소다. 상대방을 벗으로 여김으로써, 사회복지사는 클라이언트에게 안정감을 줄 수 있다. 벗으로서의 관계는 클라이언트가 자신의 문제를 더 편안하게 이야기하고, 지원을 받는 과정에서 더 큰 신뢰를 형성하는 데 도움이 된다.

세상을 평가할 때 선입견을 버린다는 말은 더 넓은 시야로 다양하게 바라보는 견해를 말한다. 사회복지사는 클라이언트와의 상호작용에서 선입견을 내려놓고, 개인의 고유한 상황과 요구에 적절한 대응을 해야 한다. 이를 통해 진정한 소통과 이해가 이루어질 것이며, 사회복지사의 역할이 보다 의미 있게 발전할 수 있다. 선입견을 버리는 것은 클라이언트의 다양성과 개별성을 존중하는 데 필수적인 요소이며, 이를 통해 더 나은 서비스를 제공할 수 있다.

사회복지사로서의 역할은 맹자의 지혜와 연결되어 있다. 나이, 귀천, 형제 관계를 따지지 않고, 벗을 삼아 상호 이해를 통해 도움을 제공하는 것이 사회복지사의 핵심 가치이다. 이를 통해 개인과 사회 간의 균형을 유지하고, 클라이언트에게 최상의 도움을 제공할 수 있다. 맹자의 가르침은 사회복지사가 인간관계를 통해 어떻게 보다 나은 사회를 만들어 갈 수 있는지를 가르쳐주는 중요한 지침이 된다.

사회복지사 실천법

- 열린 마음으로 경청하라
- 다양성을 인정하라
- 자신을 성찰하라

첫째, 열린 마음으로 경청하라. 사회복지사가 클라이언트와 첫 대면할 때 가장 중요한 것은 열린 마음으로 상대방의 이야기에 귀를 기울인다. 편견과 선입견은 자신의 세계관이나 경험에 근거하여 형성되기 마련이지만, 클라이언트의 고유한 상황과 경험을 이해하기 위해서는 그들의 이야기에 집중해야 한다. 청취 중에는 자신의 선입견을 내려놓고, 상대방의 맥락을 이해하려는 노력을 기울여야 한다. 이를 통해 상호 간에 신뢰와 이해가 증진되며, 편견을 극복하는 기반을 마련할 수 있다. 열린 마음으로 경청하는 것은 클라이언트와의 관계 형성에 있어서 매우 중요한 첫걸음이며, 이를 통해 사회복지사는 더 나은 지원을 제공할 수 있다.

둘째, 다양성을 인정하라. 편견과 선입견은 다양성에 대한 무지나 오해에서 시작된다. 사회복지사는 다양한 문화와 신념, 가치관을 존중하고 이해하기 위해 노력해야 한다. 자신의 편견과 선입견을 인식하고 이를 극복하기 위해서는 다양성에 대한 깊은 이해가 필수다. 다양한 배경을 가진 사람들을 존중하고, 그들의 고유한 문화를 배우고자 하는 자세는 사회복지사로서의 전문성과 인간미를 동시에 높이는 데 도움이 된다. 다양성을 인정하는 태도는 클라이언트와의 관계를 더욱 긍정적이고 생산적으로 만드는 중요한 요소다.

셋째, 자신을 성찰하라. 사회복지사는 자기성찰의 시간을 가지고 자신의 가치관과 편견을 정기적으로 점검해야 한다. 자기성찰을 통해 자신의 편견이나 선입견에 대해 인식하고, 이를 극복하기 위한 계획을 세울 수 있다. 정기적인 교육이나 훈련을 통해 새로운 지식과 다양한 관점을 가질 수 있다. 자기성찰은 개인의 성장과 발전을 도모하며, 이를 통해 사회복지사는 더욱 성숙하고 전문적인 역할을 수행할 수 있다. 자신의 한계를 인식하고 이를 개선하려는 노력은 사회복지사의 필수적인 덕목이며, 이는 클라이언트에게 더 나은 서비스를 제공하는 데 중요한 역할을 한다.

사회복지사는 열린 마음으로 경청하고, 다양성을 인정하며, 자신을 성찰하는 태도를 가져야 한다. 이러한 접근은 클라이언트와의 관계를 강화하고, 그들의 필요를 보다 정확하게 이해하며, 편견을 극복하는 데 도움이 된다. 이를 통해 사회복지사는 클라이언트에게 더 나은 지원을 제공하고, 사회 전체에 긍정적인 영향을 미칠 수 있다. 사회복지사는 자신의 역할을 충실히 수행하며, 다양한 관점을 받아들이고 존중하는 태도로 업무에 임해야 한다.

28. 실력으로 승부하라

"뛰어난 자를 만나 보고자 하면서 올바른 도리를 따르지 않는다면 마치 문에 들어가고자 하면서 문을 닫는 것이다. 의는 길이요. 예는 문이다." 《맹자, 만장 하편》

맹자의 말에서 나오는 "뛰어난 자를 만나 보고자 하면서 올바른 도리를 따르지 않는다면 마치 문에 들어가고자 하면서 문을 닫는 것"이라는 표현은 우리에게 뛰어난 능력과 지식을 키우려는 욕망과 동시에 올바른 도덕과 윤리를 따르는 중요성을 강조한다.

사회복지사는 꾸준함을 통해 전문성을 향상시켜야 한다. 매일의 경험과 업무를 통해 지식과 기술을 쌓아나가는 것은 꾸준한 학습과 성장의 과정이다. 업무 중 마주하는 다양한 상황에서 꾸준한 노력과 학습을 통해 전문성을 강화하면, 클라이언트에게 높은 수준의 서비스를 제공할 수 있다. 지속적인 학습과 경험을 통해 사회복지사는 보다 효과적이고 전문적인 서비스를 제공할 수 있으며, 클라이언트의 다양한 요구와 문제를 더욱 잘 이해하고 해결할 수 있는 역량을 갖출 수 있다.

사회복지사는 끈기와 인내가 필요하다. 업무에서 발생하는 어려움과 도전에 직면할 때, 다양한 해결 방법을 찾고 노력하는 자세가 필요하다.

일상생활에서의 실패는 도전의 기회로 삼고 성장해야 한다. 사회복지사에게 꾸준함과 끈기는 진정한 전문가로 가는 최단거리 지름길이다. 끈기와 인내를 가지고 지속적으로 노력하면, 어떤 어려움도 극복할 수 있으며, 클라이언트에게 더 나은 서비스를 제공할 수 있다. 끈기와 인내는 사회복지사가 어려운 상황에서도 포기하지 않고, 끝까지 최선을 다하는 자세를 갖추게 한다.

사회복지사는 꾸준한 학습과 성장을 통해 전문성을 강화하고, 끈기와 인내를 바탕으로 업무에서의 도전과 어려움을 극복해야 한다. 이를 통해 클라이언트에게 높은 수준의 서비스를 제공하고, 사회 전체에 긍정적인 영향을 미칠 수 있다. 사회복지사는 항상 자신의 역량을 향상시키기 위해 노력하고, 끊임없이 학습하며 성장해야 한다. 이러한 자세는 사회복지사가 자신의 역할을 충실히 수행하고, 클라이언트와 사회 전체에 기여하는 중요한 요소다.

사회복지사는 꾸준한 학습과 성장, 그리고 끈기와 인내를 통해 자신의 전문성을 강화해야 한다. 이는 사회복지사가 클라이언트에게 더 나은 서비스를 제공하고, 사회 전체에 긍정적인 변화를 이끌어내는 데 중요한 역할을 한다. 사회복지사는 맹자의 가르침을 바탕으로 올바른 도덕과 윤리를 따르며, 꾸준한 노력과 학습을 통해 진정한 전문가로 성장해야 한다.

사회복지사 실천법

- 우선순위를 정하라.
- 마음을 편안히 하라
- 감사를 표현하라

첫째, 우선순위를 정하라. 매일 아침, 업무 시작 전에는 하루 일정을 세우고 우선순위를 정하는 시간을 가져야 한다. 업무의 목표를 세우고 중요한 일을 우선적으로 처리함으로써 효율적인 업무를 진행할 수 있다. 이는 업무의 계획성을 높이고 스트레스를 줄여 업무 흐름을 더욱 원활하게 만들어준다. 우선순위를 정하는 것은 시간을 효율적으로 관리하고, 중요한 일을 놓치지 않도록 도와주는 중요한 습관이다. 이를 통해 하루 일과를 체계적으로 진행하며, 업무의 성과를 극대화할 수 있이다.

둘째, 마음을 편안히 하라. 매일 아침, 명상이나 간단한 운동 활동을 통해 심신의 안정을 취하는 습관을 갖는다. 하루를 시작하며 마음을 편안히 하면 업무에 집중할 수 있다. 명상은 스트레스 해소와 마음의 평정을 돕고, 운동은 에너지를 공급하고 몸을 활성화시켜 업무에 더 많은 활력을 부여한다. 마음이 편안하면 스트레스 상황에서도 침착하게 대처할 수 있으며, 더욱 효과적으로 업무를 수행할 수 있다. 이는 하루를 긍정적으로 시작하고, 건강한 정신 상태를 유지하는 데 중요한 역할을 한다.

셋째, 감사를 표현하라. 아침에는 동료들과의 간담한 대화나 감사의 마음을 나누는 습관을 갖는다. 소소한 인사와 웃음은 팀 내 소통을 강화하고 긍정적인 업무 분위기를 만든다. 직장 내 동료들과 감사의 마음을 나누면 서로에 대한 이해와 협력이 높아지고, 팀 내 협업과 업무의 효율성이 높아진다. 감사를 표현하는 것은 동료와의 관계를 긍정적으로 유지하고, 서로의 노력을 인정하며 격려하는 중요한 방법이다. 이는 직장에서의 만족도를 높이고, 팀의 단결력을 강화하는 데 도움이 된다.

사회복지사는 매일 아침 우선순위를 정하고, 마음을 편안히 하며, 감사를 표현하는 습관을 가져야 한다. 이러한 습관은 업무의 효율성을 높이고, 스트레스를 줄이며, 동료와의 긍정적인 관계를 유지하는 데 중요한 역할을 한다. 사회복지사는 이러한 습관을 통해 자신의 업무를 효과적으로 관리하고, 클라이언트에게 더 나은 서비스를 제공할 수 있다. 또한, 팀 내 소통과 협력을 강화하여 긍정적인 업무 분위기를 조성하고, 업무의 효율성을 극대화할 수 있다.

29. 비전을 가져라

"천하의 좋은 선비와 벗하는 것으로 만족하지 못하여서, 또다시 위로 올라가서 옛 사람을 거론한다."《맹자, 만장 하편》

사회복지사는 맹자의 말처럼 "천하의 좋은 선비와 벗하는 것으로 만족하지 못하여서, 또다시 위로 올라가서 옛 사람을 거론한다."는 벗하는 것은 덕이 비슷한 사람들과 서로 부족한 것을 채워가는 것이며, 이는 사회복지사가 도덕적 가치를 공유하고 협력하여 클라이언트를 지원해 나가는 핵심이다.

사회복지사는 먼저 자신의 부족한 부분을 인식하고, 비슷한 사람들과 교류하여 상호보완을 이루어야 한다. 그러나 그것만으로는 부족한 부분을 모두 채우기 어려울 때, 수준이 높은 사람들과 교류하며 역량을 키워야 한다. 이는 자기계발과 전문성 향상에 대한 연속적인 노력을 의미한다. 사회복지사로서는 항상 최고의 서비스를 제공하기 위해 지속적인 학습과 성장을 추구해야 한다. 자신의 부족함을 인식하고 이를 개선하기 위한 노력을 게을리하지 않는 자세가 필요하다. 이를 통해 사회복지사는 더 높은 수준의 전문성과 도덕성을 갖춘 전문가로 성장할 수 있다.

뿐만 아니라, 사회복지사는 상급자의 수퍼비전을 통해 직무역량을 길러야 한다. 상급자와의 소통과 협력은 효율적이고 효과적인 사회복지 서비스를 제공하는 데 필수이다. 팀 내외의 자문이나 이론을 통해 연구노력하는 자세는 전문가로서 가져야 할 필수역량이다. 상급자와의 소통을 통해 자신의 역할과 목표를 명확히 이해하고, 전문성을 높이는 데에 주력해야 한다. 상급자의 경험과 지혜를 통해 배움을 얻고, 이를 실천에 적용하는 과정에서 자신의 역량을 한층 더 강화할 수 있다.

이와 같은 노력과 자세는 사회복지사의 실천법으로서 가치 있다. 도덕적 가치와 전문성의 결합을 통해 우리의 사회와 개개인의 삶을 더 나은 방향으로 이끌어 나가는 역할을 수행할 수 있다. 사회복지사는 도덕적인 벗을 만들고, 전문성을 향상시켜 사회적인 발전과 개인의 행복에 기여하는 특별한 존재로 남을 수 있다. 도덕적 가치와 전문성을 동시에 추구하는 자세는 사회복지사로서의 책임과 사명을 다하는 길이다.

사회복지사 실천법

- 겸손하라
- 성장형 마인드를 가져라
- 협업 능력을 길러라

첫째, 겸손하라. 나 자신의 강점과 약점을 정확하게 파악하고 이해하는 것이 중요하다. 역량이 큰 사람들과 비교할 때 나의 부족한 부분을 인정하고 겸손한 자세를 갖추어야 한다. 나 자신을 과소평가하지 않으면서도, 남에게서 배울 점이 있다는 사실을 자각하고 받아들이는 것이 중요하다. 겸손한 태도는 다른 사람들과의 관계에서 신뢰를 쌓는 데 중요한 역할을 한다. 또한, 자신의 약점을 인식하고 개선하려는 노력은 개인의 성장을 도모하며, 더 나은 사회복지사로서의 역량을 키우는 데 도움이 된다. 겸손은 타인의 경험과 지혜를 받아들이고, 이를 통해 자신을 발전시키는 데 필요한 덕목이다.

둘째, 성장형 마인드를 가져라. 역량이 큰 사람들을 알아보기 위해서는 고정된 사고방식이 아닌 성장을 추구하는 마인드셋이 필요하다. 새로운 아이디어나 관점에 개방적이며, 계속해서 학습하고 발전하는 태도를 가져야 한다. 역량이 큰 사람들은 늘 새로운 도전에 도전하고 성공이든 실패든 그로부터 학습하며 성장한다. 성장형 마인드는 개인의 발전뿐만 아니라 조직의 성과에도 긍정적인 영향을 미친다. 이는 사회복지사로서 새로운 방법과 접근법을 시도하고, 변화하는 환경에 적응하며, 클라이언트에게 더 나은 서비스를 제공하는 데 필수 자세이다.

셋째, 협업능력을 길러라. 역량이 큰 사람들과의 네트워킹은 중요한 요소이다. 다양한 분야에서 경험과 지식을 쌓은 사람들과 연결되면서, 그들과의 대화와 협력을 통해 배울 수 있는 기회를 창출할 수 있다. 역량이 큰 사람들과의 협력을 통해 서로 간에 지식을 교류하고 상호보완하는 관계를 구축할 수 있다. 협업능력은 팀의 성과를 극대화하고, 복잡한 문제를 해결하는 데 중요한 역할을 한다. 또한, 네트워킹을 통해 얻은 다양한 관점과 경험은 사회복지사가 더욱 폭넓은 시각을 가지고 클라이언트를 지원하는 데 도움이 된다.

사회복지사는 겸손한 태도로 자신의 강점과 약점을 인식하고, 성장형 마인드를 통해 계속해서 학습하고 발전하며, 협업 능력을 길러 역량이 큰 사람들과의 네트워킹을 중요시해야 한다. 이러한 접근은 사회복지사가 더 나은 서비스를 제공하고, 클라이언트에게 긍정적인 영향을 미치는 데 필수적인 요소이다. 사회복지사는 자신의 역할을 충실히 수행하기 위해 이러한 태도를 유지하고, 지속적으로 자신을 발전시켜야 한다.

30. 사람이 먼저다

"고자가 말했다. "인간 본성은 물결이 맴도는 물과 같다. 이것을 동쪽으로 터놓으면 동쪽으로 흐르고 서쪽으로 터놓으면 서쪽으로 흐르니, 인간 본성이 선하고 선하지 않음에 구분이 없음은 마치 물이 동과 서에 구분이 없는 것과 같다." 맹자가 말했다. "물은 진실로 동과 서에 구분이 없거니와 상하에도 구분이 없다는 말인가. 인성의 선함은 물이 아래로 내려가는 것과 같으니, 사람은 선하지 않은 사람이 없다."《맹자, 고자 상편》

인간 본성에 대한 논의는 오랫동안 철학과 윤리학에서 이루어져 왔다. 고자와 맹자의 관점에서 살펴보면, 우리는 인간의 본성에 대한 이해를 깊이 있게 한다. 고자는 인간 본성에는 선과 악이 없다고 주장하며, 이는 마치 물이 동과 서에 구분이 없는 것처럼, 인간 본성도 선하고 선하지 않음에 구분이 없다고 설명하였다. 반면에 맹자는 물이 위에서 아래로 흐르는 것과 같이, 인간 본성 또한 선함을 향해 흐른다고 주장하였다.

사회복지사는 사람이 우선이라는 원칙을 통해 각 개인의 선한 본성을 인식하고 이를 존중해야 한다. 사회복지사는 인간 본성의 선함을 생각하고, 선함을 바탕으로 클라이언트의 자립을 돕는 지지자가 되어야 한다. 인간은 모두가 어떤 환경에서든 선한 본성을 가지고 있으며, 사회복지사는 이를 찾아내어 지지하고 키워야 한다. 사회복지사의 역할은 클라이언트가 자신의 선한 본성을 발견하고 이를 발전시킬 수 있도록 도와주는 것이다. 이를 통해 클라이언트는 자신의 삶을 보다 긍정적으로 변화시킬 수 있다.

또한, 맹자의 말처럼, 물이 상하로 흐르는 것처럼 인간의 선함도 마찬가지이다. 사회복지사는 사람들에게 힘과 지지를 제공하여 그들이 선한 방향으로 나아갈 수 있도록 도와야 한다. 본질적으로 선한 본성을 갖고 있는 사람들에게는 적절한 환경과 지원을 제공하여 그들이 가진 선한 본성을 행동으로 실천하도록 지지해야 한다. 이는 사회복지사가 클라이언트의 삶의 질을 향상시키고, 사회 전체에 긍정적인 변화를 이끌어내는 데 중요한 역할을 한다.

사회복지사의 실천의 본질은 사람이 우선되어야 한다. 맹자의 관점을 통해 볼 때, 이는 인간의 본성에 대한 깊은 이해와 상호존중이 필요하다. 우리는 모두가 선한 본성을 갖고 있으며, 이를 인정하고 지지함으로써 사회복지사는 사람들의 더 나은 삶을 위한 변화를 이끌어낼 수 있다. 선한 본성을 가진 사람들이 선한 행동을 펼치도록 도와주는 것이, 사회복지가 나아가야 할 방향이다. 사회복지사는 클라이언트의 선한 본성을 지지하고, 이를 통해 클라이언트가 자립하고 성장할 수 있도록 돕는 역할을 수행해야 한다.

사회복지사 실천법

- 감사를 표현하라
- 능력과 강점을 인정하라
- 목표 설정을 조언하라

첫째, 감사를 표현하라. 상대방이 어떤 일에 성공했거나 노력한 데에 대해 강조하고 감사의 표현을 전하는 것은 자신감을 키우는 데 도움이 된다. "너의 노력이 정말 놀라워. 이런 성과를 이뤄내다니 정말 대단해!"와 같은 긍정적인 표현을 통해 상대방의 성과를 강조하고, 그들의 노력에 감사의 인정을 표현할 수 있다. 이러한 감사의 표현은 상대방에게 자신이 중요하고 소중한 존재임을 느끼게 하며, 그들의 자존감을 높이는 데 크게 기여한다. 감사를 표현하는 것은 상대방과의 관계를 더욱 강화하고, 긍정적인 분위기를 조성하는 데 중요한 역할을 한다.

둘째, 능력과 강점을 인정하라. 상대방의 능력과 강점에 주목하고 그것을 인정하는 것은 자신감을 키우는 데 도움이 된다. "너는 이 문제를 해결하는 데 정말 뛰어나다. 네 강점을 살려서 더 많은 도전을 이겨내보자!"와 같은 대화를 통해 상대방이 가진 능력과 강점에 주목하며, 그것을 활용하여 더 나은 결과를 이끌어낼 수 있도록 격려한다. 상대방의 능력을 인정하고, 그들의 강점을 강조하는 것은 그들이 자신을 긍정적으로 바라보고, 자신의 능력을 더욱 신뢰하게 만드는 중요한 요소이다. 이러한 인정을 통해 상대방은 더 큰 자신감을 가지고 새로운 도전에 임할 수 있다.

셋째, 목표 설정을 조언하라. 상대방이 자신에 대한 목표를 설정하고 그를 달성하기 위한 도움이 필요한 경우, 협력적으로 지원하는 것이 중요하다. "너의 목표는 정말 멋져. 이를 위해 어떤 도움이 필요할까? 나는 어떻게 도울 수 있을까?"와 같은 대화를 통해 목표에 도달하는 과정에서 상대방에게 필요한 지원을 제공하고, 함께 협력하는 기회를 만들어준다. 목표 설정을 도와주고, 그 목표를 달성하기 위한 구체적인 계획을 함께 세우는 것은 상대방이 목표를 향해 나아가는 데 큰 도움이 된다. 이러한 지원과 협력은 상대방이 자신의 목표를 달성하는 과정에서 자신감을 가지고, 더 큰 성취감을 느끼게 만드는 중요한 역할을 한다.

이러한 대화법을 통해 상대방은 자신의 성과와 강점을 더욱 자각하게 되고, 그로 인해 자신감을 키우는 데 도움을 받을 수 있다. 격려와 인정을 통해 상대방이 더 자신감을 가지도록 도와주는 것은 긍정적이고 건강한 대화의 시작이다. 이러한 대화법은 상대방과의 관계를 강화하고, 상호 간의 신뢰를 쌓는 데 중요한 역할을 한다. 상대방의 노력과 성과를 인정하고, 그들의 강점을 강조하며, 목표 설정을 도와주는 것은 상대방의 자존감을 높이고, 더 큰 자신감을 가지게 만드는 중요한 요소이다.

31. 상대를 존중하라

맹계자가 공도자에게 물었다. “어찌하여 의가 내면에 있다고 하셨는가?” 공도자가 말했다 “내(속의) 공경하는 마음을 행하는 것이니 내면에 있다고 한 것이다.” 《맹자, 고자 상편》

맹자에서 경(敬)은 내면에서 상대를 공경하는 마음을 말하며, 공(恭)은 겉모습으로 드러나는 모습이나 행동을 말한다. 이 구절은 맹계자라는 사람이 자신의 형보다 나이가 많은 동네 형에게 먼저 술을 따르고, 아우가 제사에서 역할을 맡은 시동이 되면 평상시 아우를 대하는 것보다 시동이 된 아우를 더 공경하는 것은 의(義)가 인간 외면에 있기 때문이라고 말하는 상황이다. 이에 제대로 대답을 할 수 없었던 공도자는 스승인 맹자에게 질문을 구한 뒤 말한다. 상대를 공경하는 마음은 겨울에 따뜻한 물을 마시고 여름에 찬물을 마시는 것이나 다를 것이 없다. 사람이 타인을 공경하는 마음은 외면에 있는 것이 아니라 자신의 마음속에 있는 것이라 말하며 명계자의 견해를 반박하는 상황이다.

맹자가 경(敬)에 대해 설명한 부분을 살펴보면, 경(敬)은 내면에서 상대를 공경하는 마음을 의미한다. 사회복지사는 개개인의 가치와 존엄성을 존중하며, 그들의 이야기를 경청하고 이해하는 마음을 갖고 있어야 한다. 클라이언트들에게 경(敬)을 표현하는 것은 그들을 도움이 필요한 주체로 인정하고, 그들의 내면에 공감하려는 노력에서 비롯된다. 사회복지사는 클라이언트의 이야기를 진심으로 들어주고, 그들의 감정과 경험을 이해하려는 자세를 가져야 한다. 이러한 내면의 공경은 클라이언트와의 신뢰 관계를 구축하고, 더 나은 지원을 제공하는 데 중요한 역할을 한다.

맹자가 공(恭)에 대해 언급한 내용은 외면에서 드러나는 모습이나 행동을 의미한다. 사회복지사는 자신의 전문적인 역할에 따라 적절한 행동과 태도를 유지해야 한다. 이는 클라이언트들과의 상호작용뿐만 아니라, 동료들과 다른 전문가들과의 협업에서도 중요하다. 외면에서의 공(恭)은 사회복지사의 전문성과 윤리적인 행동에 반영되어야 한다. 사회복지사는 자신의 행동이 클라이언트와 동료들에게 신뢰를 주고, 존경을 받도록 노력해야 한다. 이러한 외면의 공경은 사회복지사가 자신의 역할을 충실히 수행하고, 클라이언트에게 최상의 서비스를 제공하는 데 필수적인 요소이다.

사회복지사는 클라이언트와의 상호작용에서 내면의 경(敬)과 외면의 공(恭)을 통해 존중의 태도를 가지는 것이 중요하다. 보편화 되어가는 현대 사회복지가 나아가야 할 방향을 잘 설명하고 있는 구절이다. 사회복지사의 사람에 대한 마음은 공도자가 말한 '사람을 대하는 태도'이다. 마음에서 시작하는 존중의 태도로 클라이언트를 바라보아야 한다.

사회복지사 실천법

- 관심을 가지고 들어라
- 듣고 요약해 소통하라
- 몸짓 언어를 함께 살펴라

첫째, 관심을 가지고 들어라. 경청은 효과적인 의사소통과 상호 이해의 핵심이다. 상대의 말에 적극적으로 관심을 표현하고 주의를 집중하는 것은 상호 간의 신뢰와 존중을 나타내는 중요한 단계이다. 눈을 마주치고 몸을 돌리지 않으며, 상대에게 집중함으로써 그들이 말하는 내용에 중요성을 부여하고 있는 것을 시각적으로 전달할 수 있다. 또한, 잡다한 것에 신경을 쓰지 않고 순수하게 말하는 상대에게 주의를 기울이는 것이 핵심이다. 상대방의 말에 진심으로 귀를 기울이는 태도는 상대방에게 자신이 중요하고 가치 있는 존재임을 느끼게 하며, 그들의 이야기에 진심으로 관심을 갖고 있음을 보여준다. 이를 통해 상대방과의 신뢰 관계를 강화하고, 더 깊은 이해를 이끌어낼 수 있다.

둘째, 듣고 요약해 소통하라. 경청이 단순히 듣기만 하는 것이 아니라 상대의 의도와 메시지를 정확히 이해하려는 의지를 반영한다. 상대의 이야기를 정확히 파악했다는 것을 확인하고, 중간중간에 요약을 통해 상대의 주장이나 감정을 정확하게 이해했는지 확인하는 것이 중요하다. 이를 통해 의사소통 오류를 최소화하고, 상대와의 공감과 이해를 극대화할 수 있다. 요약을 통해 상대방이 말한 내용을 다시 한번 정리하고, 그들이 전달하고자 하는 핵심 메시지를 정확히 이해했음을 확인하는 과정은 의사

소통의 명확성을 높이는 데 큰 도움이 된다. 이러한 소통 방식은 상대방에게 자신의 의견과 감정이 존중받고 있다는 느낌을 주며, 더 깊은 상호 이해를 이끌어낼 수 있다.

셋째, 몸짓 언어를 함께 살펴라. 비언어적 신호에 주의를 기울이는 것은 말로 표현되지 않은 감정이나 상태를 파악하는 핵심이다. 상대의 표정, 몸짓, 목소리의 강도와 톤 등을 주시하여 그들의 감정 상태를 이해하려는 노력을 보이는 것이 경청의 중요한 부분이다. 상대의 비언어적 신호에 민감하게 반응함으로써 그들의 말 이외의 부분에도 주목하고, 상호 간에 더 깊은 이해와 소통이 가능해진다. 비언어적 신호는 종종 말로 표현되지 않는 진심을 드러내기 때문에, 이를 잘 관찰하고 이해하는 것은 상호 간의 신뢰와 이해를 강화하는 데 큰 도움이 된다. 상대방의 표정이나 몸짓에서 나타나는 미묘한 변화에 주의를 기울임으로써, 그들의 감정과 상태를 보다 정확하게 파악하고 대응할 수 있다.

효과적인 경청은 단순히 상대방의 말을 듣는 것이 아니라, 그들의 의도와 감정을 깊이 이해하려는 노력과 태도를 포함한다. 관심을 가지고 들어라, 듣고 요약해 소통하라, 몸짓 언어를 함께 살펴라.

이 세 가지 원칙을 통해 상호 간의 신뢰와 이해를 증진시키고, 더 깊은 소통을 이끌어낼 수 있다. 이러한 경청의 태도는 상호 존중과 이해를 바탕으로 한 건강한 인간관계를 형성하는 데 필수 요소이다.

32. 마음을 지켜라

맹자가 말했다. "인은 사람의 마음이요, 의는 사람의 길이다. 그 길을 버리고 따르지 않으며, 그 마음을 잃어버리고 찾을 줄을 모르니, 애처롭다. 사람이 닭과 개가 도망가면 찾을 줄을 알되, 마음을 잃고서는 찾을 줄을 알지 못하니, 학문하는 길은 다른 것이 없다. 그 잃어버린 마으믈 찾는 것이 뿐이다."《맹자, 고자 상편》

사람을 사랑하는 것은 사회복지사가 가져야 할 첫 번째 마음이다. 일을 처리하는 마땅하고 올바른 방법은 사회복지 실천가가 서비스를 제공함에 있어 반드시 해야 할 실천 덕목이다. 그러나 사회복지사로서 효율적인 업무에 앞서 사회복지에는 '사람을 사랑하는 마음'이 우선되어야 한다.

사회복지사가 가져야 할 첫 번째 마음은 맹자가 말한 것처럼 "인은 사람의 마음이요, 의는 사람의 길이다." 사회복지는 결국 사람들의 삶을 개선하고 지원하는 일이므로, 사람을 사랑하는 마음은 기본이다. 맹자가 강조한 바와 같이 마음을 잃지 않고 사람을 사랑하는 마음을 잃지 않는 것이 중요하다. 사람을 사랑하는 마음은 사회복지사의 모든 활동의 출발점이며, 그들이 하는 모든 일의 중심이 된다. 이는 단순한 직무 수행을 넘어, 사람과 사람 사이의 진정한 관계를 형성하는 데 필수적인 요소이다.

사회복지사로서의 효율적인 업무 처리가 중요한 것은 사실이다. 그러나 이러한 업무 처리에 앞서, 사회복지사는 대상자들과의 소통과 이해를 통해 그들의 마음을 파악하고 존중하는 자세를 가져야 한다. "그 길을 버리고 따르지 않으며, 그 마음을 잃어버리고 찾을 줄을 모르니, 애처롭다."라고 맹자가 말한 것처럼, 대상자의 입장에서 그들의 어려움을 이해하고 그에 맞는 도움을 제공하는 것이 복지사의 역할이다. 사회복지사는 대상자의 목소리에 귀를 기울이고, 그들의 필요와 기대를 이해하며, 이를 바탕으로 지원을 제공하는 데 최선을 다해야 한다. 이러한 태도는 대상자와의 신뢰를 형성하고, 그들의 삶에 긍정적인 변화를 이끌어내는 데 중요한 역할을 한다.

사회복지사로서 효율적이고 올바른 업무 수행은 사람을 사랑하는 마음에서 시작한다. 사회복지는 사람의 존재를 우선 기억해야 한다. 어떤 일이든 오랜 시간 하다 보면 첫 마음을 잃어버리는 경우가 많다. 사회복지사로서의 사명감은 사람을 사랑하는 태도임을 기억해야 한다. 사람을 사랑하는 마음을 잃지 않음으로써, 사회복지사는 진정한 지원을 제공하고, 대상자의 삶을 개선할 수 있다. 이러한 태도는 사회복지사가 자신의 역할을 충실히 수행하고, 사회 전체에 긍정적인 영향을 미치는 데 필수적인 요소이다.

사회복지사는 항상 사람을 사랑하는 마음을 잃지 않도록 노력해야 한다. 이는 대상자와의 진정한 관계를 형성하고, 그들의 삶에 실질적인 변화를 이끌어내는 데 중요한 역할을 한다.

사회복지사 실천법

- 열린 마음으로 질문하라.
- 의도를 질문하라
- 감정을 질문하라

첫째, 열린 마음으로 질문하라. "어떻게 생각하셨나요?", "어떤 경험이 이 생각을 갖게 했나요?"와 같은 개방적인 질문은 상대방이 자신의 생각과 감정을 더 자세히 나누도록 유도한다. 이러한 질문을 통해 상대방의 배경과 경험을 더 잘 이해할 수 있다. 상대방의 의견과 감정을 존중하고, 그들이 말하고자 하는 바를 더 깊이 있게 파악하기 위해서는 열린 마음으로 질문하는 것이 중요하다. 개방적인 질문은 상대방이 자신의 이야기를 편안하게 나눌 수 있도록 도와주며, 상호 간 신뢰와 이해를 증진시키는 데 큰 도움이 된다. 이를 통해 상대방과의 관계를 강화하고, 더 나은 소통을 이끌어낼 수 있다.

둘째, 의도를 질문하라. "왜 그렇게 생각하게 된 거죠?", "이 문제에 대한 더 깊은 이해를 얻고 싶어서 물어봅니다."와 같은 심층적인 질문은 상대방의 의견의 근본에 다가가려는 노력을 보여준다. 이러한 질문을 통해 더 심층적인 토론과 이해가 가능해진다. 상대방의 의견과 생각의 배경을 이해하려는 의도를 가지고 질문하는 것은 그들의 입장을 더 명확히 파악하고, 더 깊이 있는 논의를 이끌어내는 데 중요한 역할을 한다. 이러한 질문은 상대방에게 자신의 생각을 다시 한번 정리하고 설명할 기회를 제공하며, 상호 간의 이해를 더욱 깊게 만든다. 이를 통해 상대방과의 관계를 더욱 강화하고, 보다 깊이 있는 소통을 가능하게 한다.

셋째, 감정을 질문하라. “이 상황에서 어떤 감정을 느끼셨나요?”, “이 문제가 어떻게 영향을 미치고 있나요?”와 같은 감정에 집중하는 질문은 상대방의 감정을 이해하고자 하는 의도를 나타낸다. 감정에 주목하는 질문은 상대방과의 감정적인 연결을 강화하며, 더 나은 소통을 도모한다. 상대방의 감정을 이해하고, 그들이 느끼는 감정에 공감하려는 노력은 상호간의 신뢰와 이해를 깊게 만드는 데 큰 도움이 된다. 감정에 대한 질문은 상대방의 내면 세계를 더 잘 이해하고, 그들이 겪고 있는 상황을 더 명확히 파악하는 데 중요한 역할을 한다. 이를 통해 상대방과의 관계를 더욱 강화하고, 보다 진정성 있는 소통을 가능하게 한다.

열린 마음으로 질문하는 것, 의도를 질문하는 것, 감정을 질문하는 것은 상대방과의 깊이 있는 소통과 이해를 증진시키는 데 중요한 역할을 한다. 이러한 질문 방식은 상대방의 의견과 감정을 존중하고, 그들의 생각과 감정을 더 깊이 있게 파악하는 데 큰 도움이 된다. 사회복지사나 리더는 이러한 질문 방식을 통해 상대방과의 신뢰를 강화하고, 더 나은 소통을 이끌어낼 수 있다. 이러한 접근은 상대방의 이야기를 더 잘 이해하고, 그들의 필요와 기대를 더 명확히 파악하는 데 중요한 역할을 한다.